JACQUOT SA... OREILLES

Alexandre Dumas

Copyright pour le texte et la couverture © 2023 Culturea
Edition : Culturea (culurea.fr), 34 Hérault
Contact : infos@culturea.fr
Impression : BOD, Norderstedt (Allemagne)
ISBN :9791041833740
Date de publication : juillet 2023
Mise en page et maquettage : https://reedsy.com/
Cet ouvrage a été composé avec la police Bauer Bodoni
Tous droits réservés pour tous pays.

Avant-propos

C'est l'histoire du piqueur d'un boyard, dernier représentant peut-être des vieilles mœurs moscovites du temps de Pierre le Grand et de Biren, que je vais vous raconter.

Il est vrai que, dans mon récit, il sera un peu plus question du maître et de la maîtresse que du valet, et que mon histoire pourrait aussi bien s'appeler *la Princesse Varvara*, ou *le Prince Groubenski* que *Jacquot sans Oreilles* ; mais, que voulez-vous ! dans une époque où l'on s'occupe d'abord de chercher le titre d'un roman ou d'un drame avant d'en chercher le sujet, et où la meilleure partie d'un succès est dans le titre, *Jacquot sans Oreilles* me paraît renfermer tout ce qu'il faut d'originalité pour éveiller la curiosité de mes lecteurs.

Je m'en tiendrai donc à *Jacquot sans Oreilles*.

J'avais bien souvent entendu parler, à Saint-Pétersbourg, à Moscou et surtout à Nijni-Novgorod, du prince Alexis-Ivanovitch Groubenski ; on citait de lui des excentricités les plus incroyables ; mais ces excentricités, qui eussent accusé l'humeur anglaise la mieux développée, étaient, même dans leur côté bouffon, obscurcies par je ne sais quel nuage sinistre planant sur cette existence étrange ; on sentait que, quoique à moitié effacée par le temps et par les efforts de ceux qui avaient intérêt à la faire disparaître tout à fait, il existait sur la vie du *dernier des boyards,* comme on l'appelait généralement dans le gouvernement de Nijni-Novgorod, une de ces taches d'un rouge sombre qui, pareilles à celles que l'on montre sur le parquet de la galerie aux Cerfs de Fontainebleau et du cabinet royal à Blois, dénoncent le sang versé.

Partout, on m'avait dit :

– Si, par hasard, vous vous arrêtez à Makarief, n'oubliez pas de visiter, en face du couvent, de l'autre côté de la Volga, les ruines du château de Groubenski. Surtout, ajoutait-on, n'oubliez pas de demander à voir la galerie des portraits.

Il n'y a que ceux qui ont voyagé avec moi qui peuvent apprécier ma ténacité dans ces sortes de circonstances ; quand je flaire quelque part une légende, une tradition, une chronique, aucune observation, aucune instance, aucune opposition ne peut faire qu'une fois la piste relevée, je ne la suive jusqu'au bout.

Aussi avais-je bien fait promettre au patron du bateau à vapeur que j'avais pris pour me conduire de Nijni à Kazan, de ne pas manquer de m'arrêter à Makarief, qu'il y passât de jour ou de nuit.

En effet, du plus loin que l'on aperçut, je ne dirai pas Makarief – on ne voit pas Makarief de dessus la Volga – mais les murs crénelés du vieux couvent qui s'avance jusqu'au bord du fleuve, le patron, fidèle à sa promesse, vint me dire :

– Monsieur Dumas, apprêtez-vous, si votre intention est toujours de descendre à Makarief ; dans dix minutes, nous y serons.

Dix minutes après, nous y étions effectivement, et, au signe que je lui faisais, un batelier se détachait de la rive gauche de la Volga, et venait me prendre à bord du bateau à vapeur.

Alors seulement, je remarquai qu'un jeune officier russe, avec lequel j'avais échangé quelques paroles pendant notre traversée fluviale, faisait les mêmes préparatifs que moi.

– Descendez-vous par hasard à Makarief, monsieur ? lui demandai-je.

– Hélas ! oui, monsieur ; j'y suis en garnison.

– Voilà un *hélas !* peu flatteur pour Makarief.

– C'est un abominable trou, et je me demande comment, n'étant pas forcé d'y descendre, vous y descendez. Que diable avez-vous à faire à Makarief ?

– Deux choses très importantes : j'y viens acheter un coffre et visiter le château de Groubenski, et je vous avoue qu'en vous voyant visiter vos bagages, je me suis réjoui de ce qui vous désespère ; ayant pu apprécier toute votre courtoisie, je me suis dit : « Voilà un guide tout trouvé pour mon achat et pour ma visite. »

– Quant à cela, me dit le jeune officier, vous ne vous êtes pas trompé, et c'est moi qui vous serai reconnaissant de disposer de moi ; les distractions sont rares à Makarief ; vous m'offrez celle de votre compagnie, je l'accepte de grand cœur. C'est le miel que l'on met au bord du vase où l'on fait boire aux enfants une médecine. Maintenant, laissez-moi poser quelques conditions au marché.

– Posez, je les accepte d'avance.

– Vous comprenez que, depuis que la foire a été transportée à Nijni-Novgorod, personne ne s'arrête plus à Makarief.

– Excepté ceux qui viennent y acheter un coffre et visiter le château de Groubenski.

– Oui ; mais ceux-là sont rares. Il n'y a donc plus d'auberge à Makarief, ou, s'il y en a, c'est pis que s'il n'y en avait pas.

– Ah ! je vous vois venir : vous allez m'offrir la nourriture et le logement ; je suis habitué à ces façons-là en Russie.

– Justement.

– Un autre ferait des façons ; moi, j'accepte.

Je lui tendis la main.

– Ah ! ma foi, dit-il, j'étais loin de me douter d'une pareille chance. Descendez donc, je vous prie. Et, en effet, le bateau qui devait nous transporter à terre venait d'accoster le bâtiment.

Je fis mes adieux au patron du bateau et aux quelques personnes avec lesquelles je m'étais familiarisé pendant mes trois jours de navigation sur la Volga, et j'allai prendre ma place dans le canot.

Mon jeune capitaine m'y suivit.

– Ah ! c'est vous, monsieur le comte ? lui dit le batelier en le reconnaissant ; la voiture vous attend depuis hier au soir.

– Oui, dit le jeune homme, je croyais arriver hier ; mais ces misérables bateaux marchent comme des tortues... Et tout va bien à Makarief ?

– Grâce à Dieu, monsieur le comte, tout va bien.

– J'espérais qu'il allait me dire que le feu avait pris à la ville, qu'il n'en restait pas une maison, et que la garnison était rappelée à Saint-Pétersbourg ou, tout au moins, transportée à Kazan. Il n'en est rien ; soumettons-nous à la volonté de Dieu !

Et le comte poussa un soupir aussi sérieux que s'il avait réellement espéré que la ville fût brûlée.

Une voiture et un domestique en livrée française nous attendaient au bord du fleuve ; la voiture était, non pas un drovski, mais une élégante américaine.

Cette vue me donna un grand espoir : c'est que, dans la chambre qu'allait m'offrir mon hôte, je trouverais un lit et une cuvette, deux choses que je n'avais pas rencontrées réunies depuis mon départ de Moscou.

Je ne m'étais pas trompé : la maison du comte Varinkof - c'était le nom de mon jeune officier - était meublée à la française, et je retrouvai, ou à peu près, à une verste de la Volga, ma chambre à coucher parisienne.

Le thé nous attendait, véritable thé russe par bonheur, savoureux et parfumé, fait en outre avec toute la science dont un valet de chambre moscovite est capable à l'endroit du thé.

Tout en vidant nos verres - en Russie, le thé se prend dans des verres, les dames seules ont droit aux tasses -, tout en vidant nos verres, nous convînmes que, le lendemain après déjeuner, l'excursion serait faite au château de Groubenski.

Dès le même soir, des ordres furent donnés pour qu'un bateau se tînt à notre disposition entre dix et onze heures du matin.

En outre, avant le déjeuner, nous devions aller faire, le comte Varinkof et moi, une visite aux deux ou trois magasins de coffres les mieux assortis.

À neuf heures, le comte était levé et nous courions la ville ensemble, en voiture bien entendu ; car, en véritable gentilhomme russe qu'il était, notre jeune officier ne savait point, à moins d'y être forcé, faire cent pas à pied.

J'achetai deux coffres. Il va sans dire que mon hôte ne permit point que je les payasse. Que voulez-vous ! ce sont les façons du pays : il faut s'y faire.

Après un excellent déjeuner - le comte avait un cuisinier français -, nous remontâmes en voiture, puis en barque, et nous traversâmes la Volga.

De l'autre côté, deux chevaux nous attendaient, tenus en main par deux domestiques. Il y avait une montagne haute comme Montmartre à gravir, et c'était trop de fatigue pour un de ces hommes qui escaladent les cimes du Caucase par des chemins connus des chamois et des bouquetins seuls, lorsqu'il s'agit d'aller combattre Schamyl au milieu des nuages ou au fond des précipices.

Nous nous mîmes en selle, et, dix minutes après, nous étions en face des ruines du château de Groubenski.

C'était une splendide bâtisse élevée vers le milieu du dernier siècle sur les plans du fameux architecte Rastrelli, qui a bâti le palais d'Hiver à Saint-Pétersbourg et le palais de Tzaritzina près de Moscou ; abandonné depuis près de trente ou quarante ans peut-être, il a eu le destin de toute chose abandonnée, c'est-à-dire qu'à part quelques bâtiments de service, une galerie et un pavillon, il est tombé en ruine.

À ses pieds, justement, depuis que la vie s'est retirée de lui, a pris naissance une espèce de village maritime nommé Niskevo, et, du haut de la montagne, le château des anciens jours semble jeter un regard sombre sur la jeune activité de cet enfant né d'hier.

Il est vrai qu'en reportant ses yeux plus loin et en regardant du côté de la Volga, le spectre de granit rencontre le monastère de Makarief et que les deux vieillards, la nuit, quand tout dort autour d'eux, peuvent, avec l'aide du vent, causer mystérieusement entre eux de la fragilité des choses terrestres : le château déplorant le temps où ses salons, ses pavillons, ses galeries étincelaient de feux, regorgeaient d'hôtes et de convives, jetaient aux échos le bruit des chansons, du choc des verres et des instruments de fête ; le monastère regrettant l'époque des solennités sacerdotales où il parlait à soixante villages, ses vassaux, avec la voix de ses douze cloches et les chants de ses deux cents moines.

Aujourd'hui, douze moines seulement habitent le monastère. Quant au château, la race de ses illustres maîtres s'est éteinte, et il appartient maintenant au fermier d'octroi, maître Kirdiapine, dont le père était autrefois troisième garçon d'auberge de Razgoulai, la première auberge de Makarief, quand Makarief avait des auberges, ou plutôt quand Makarief avait une foire.

Nous étions venus de Makarief au fleuve, nous avions passé de la rive droite sur la rive gauche de la Volga, nous avions gravi la montagne qui conduit aux ruines ; mais nous n'avions accompli que la partie la plus facile de notre pèlerinage.

Il restait à nous procurer les clefs du château.

En effet, les deux ou trois serviteurs auxquels est confiée la garde de ces vénérables ruines, n'ayant pas l'idée qu'il prît à quelqu'un l'envie de les visiter, n'ayant pas la crainte que quelque bande noire ne les démolît, avaient jugé avec raison qu'ils pouvaient s'en éloigner pendant quelque temps pour aller offrir leurs services aux patrons de bâtiment comme débarqueurs et portefaix, cette industrie leur donnant la douce récréation de pouvoir, chaque jour, prendre en compagnie et à la même table, la jouissance d'un ou deux verres de thé et d'une *paire de sucres,* ce qui est le luxe le plus apprécié des hommes de la classe inférieure en Russie.

Ce jour-là, ils avaient commencé la journée comme ils eussent dû la finir, et, quoiqu'il fût midi à peine, mes trois drôles étaient déjà au cabaret.

L'un d'eux consentit à se déranger moyennant la promesse de vingt kopecks que se crut en droit de lui assurer de notre part le valet de chambre du comte, et il monta avec les clefs.

La recherche et la négociation avaient duré presque une heure. Au reste, nous n'avions pas perdu notre temps ; par une brèche, nous avions pénétré dans les jardins qui dépendaient autrefois, et probablement dépendent aujourd'hui encore, du château. Ils formaient un immense parc qui s'étendait sur une longueur de deux verstes en suivant la plate-forme de la montagne et qui, à son extrémité, en suivant la pente, descendait jusqu'à la Volga. Mais là, tout au contraire de l'œuvre dévastatrice opérée sur les bâtiments, l'œuvre du temps avait été bienfaisante et pittoresque : livrés à eux-mêmes, les arbres étaient arrivés à de gigantesques développements quand ils étaient isolés, et à de merveilleux entrelacements parmi ceux qui étaient réunis. Il y avait surtout des allées de tilleuls qui avaient dû être plantées sous la reine Élisabeth, et qui étaient tellement impénétrables aux rayons du soleil, qu'il semblait, du moment que l'on pénétrait dans ces allées, que l'on fût descendu dans l'intérieur des mines et que l'on suivît quelqu'une de ces avenues qui sillonnent les entrailles des monts Oural.

En quelques endroits, au sortir de ces allées ou au centre des pelouses envahies par les herbes et les ronces, on voyait des socles de pierre sur lesquels se dressaient autrefois des statues, chefs-d'œuvre ou, du moins, copies des chefs-d'œuvre de l'antiquité ; sur un de ces socles, nous retrouvâmes les lettres JOV... OMNIPOT..., et sur une autre cette inscription : *Vénus et Adonis.*

En sortant de l'allée principale et en tournant à gauche, nous rencontrâmes le lit profond, actuellement à peu près desséché, d'une rivière artificielle ; au fond coulait encore un léger filet d'eau limpide provenant d'une source voisine que nous eûmes toutes les peines du monde à retrouver, perdue qu'elle était dans les hautes herbes. Cette rivière avait été autrefois, selon toute probabilité, l'ornement le plus gracieux du jardin qu'elle traversait, en serpentant, dans toute sa longueur ; quelques arcs jetés avec une hardiesse pleine d'entrain d'un bord à l'autre de la rivière formaient des ponts charmants, encore praticables aujourd'hui, quoiqu'ils soient devenus inutiles.

Dans l'endroit le plus retiré du parc, nous découvrîmes un pavillon. C'était l'œil-de-bœuf du prince Alexis ; mais, hélas ! depuis longtemps, les ouragans d'hiver, ses seuls hôtes, en avaient arraché et jeté au loin les portes et les fenêtres. Si ces murs, qui ont eu des oreilles et des yeux, avaient une langue, sans doute raconteraient-ils aujourd'hui des histoires à faire rougir les murs de Monceau et du grand Trianon ; mais ils sont muets, excepté lorsque la tempête leur prête une voix, et cette voix sombre et sévère dit chaque jour aux monuments ce que l'expérience dit chaque jour aux hommes : « Il n'y a rien de certain et rien d'éternel que la mort. »

Sur la muraille, existaient encore des fresques mythologiques assez bien conservées. Ces fresques avaient été faites, bien certainement, par un peintre français de l'école de Boucher ; elles représentaient Vénus et Mars pris aux filets de Vulcain ; l'enlèvement d'Europe par le fameux taureau blanc dont Jupiter avait emprunté la forme ; une Léda serrant amoureusement sur sa poitrine le cygne divin ; enfin une Diane au bain surprise par Actéon.

Le plafond était écroulé.

En face de ce pavillon, était un tas de pierres et de briques recouvertes en grande partie par des ronces et des lierres. Je demandai à mon jeune officier s'il savait ce que c'était que ce tas de pierres et de briques.

– Je crois, me répondit-il, avoir entendu dire, dans une première excursion faite par moi à ces ruines, que ces décombres formaient autrefois un pavillon pareil à celui-ci.

– S'est-il écroulé ? demandai-je.

– Non, il a été démoli à dessin, à ce que l'on assure.

– Et pourquoi cela ? le savez-vous ?

– Je ne sais que ce que l'on raconte à ce sujet.

– Et que raconte-t-on ? Je suis, je vous en préviens, le plus grand questionneur qu'il y ait au monde.

– On raconte que le dernier prince Danilo-Alexiovitch, étant venu ici, il y a vingt-cinq ou trente ans, a fait, dans ce pavillon, une si étrange trouvaille, que non seulement il a décidé de le démolir, mais que lui-même y a porté le premier coup de pioche.

– Et qu'y a-t-il donc trouvé, dans ce pavillon ?

– Ah ! voilà justement où est le mystère ! On parle d'une chambre murée, barricadée, condamnée, dans laquelle personne n'avait eu la pensée ou plutôt le courage de pénétrer. Le prince Danilo, dit-on toujours, y pénétra, lui, à l'insu de tout le monde, et, ma foi, il y vit une chose si terrible, qu'il en sortit pâle comme un mort, en donnant l'ordre de démolition que je vous ai dit.

En ce moment, nous vîmes venir à nous le domestique du nouveau propriétaire, maître Kirdiapine, que la promesse de vingt kopecks avait tiré du cabaret.

Je l'interrogeai à l'endroit du pavillon démoli ; mais il en savait encore moins que le capitaine Varinkof, qui, on le voit, ne savait pas grand-chose.

Le domestique avait les clefs du château et nous offrait de l'ouvrir.

J'acceptai, espérant trouver quelque chose qui établirait un lien entre le château et le pavillon.

Le serviteur marcha devant nous et nous introduisit par une porte de service donnant sur le vestibule.

À peine la porte fut-elle ouverte, qu'un air humide et saturé de vétusté nous prit à la gorge. Chaque pas que nous faisions sur les dalles soulevait une épaisse poussière, et le vent, qui était entré derrière nous par la porte restée ouverte, agitait sur les murs les lambeaux déchirés et pendants d'une tapisserie splendide qui avait dû venir en droite ligne des Gobelins par quelque cadeau princier ou royal.

– Ce qu'il y a de mieux conservé dans le château, nous dit notre cicerone, c'est la galerie des portraits.

Comme c'était aussi, selon toute probabilité, ce qu'il y avait de plus intéressant, nous nous y fîmes conduire, négligeant à son profit les restes du château.

Je ne sais si c'était une préoccupation ou une réalité, si c'était un effet du pinceau des artistes ou de la façon dont les tableaux étaient éclairés, mais il me sembla que tous ces portraits aux teintes assombries nous jetaient, à nous qui venions les troubler dans leur muette réunion et dans leur solitude séculaire, des regards de haine et de rancune ; on eût dit que, du haut de leurs cadres richement sculptés, mais tordus et faussés par le temps, ils étaient prêts à nous dire : « Qui êtes-vous, vivants indiscrets, visiteurs importuns ? qui vous a donné le droit de troubler le silence des morts ? Éloignez-vous ; nous ne vous connaissons pas et nous vous sommes inconnus. Vous aurez beau nous regarder, beau nous interroger, vous ne saurez rien de notre folle vie, de nos bruyants plaisirs, de nos festins homériques et de nos passions sans frein. »

– Voici le prince Alexis-Ivanovitch Groubenski, nous dit l'homme qui nous accompagnait, comme s'il répondait à la question muette que j'adressais aux plus modernes de ces portraits.

Mes regards se fixèrent alors sur l'effigie d'un homme de haute stature. Son front découvert, ses sourcils épais, son nez romain, sa lèvre inférieure fortement saillante, annonçaient une grande et énergique volonté, également implacable et irrésistible. Sa bouche souriait, mais il y avait quelque chose de fauve et de menaçant dans son sourire. Il me sembla qu'il n'eût fallu qu'une faible contrariété à ce visage pour que son front se couvrît des plis de la haine, pour que ses yeux noirs, pleins de ruse, légèrement voilés pour le moment, se missent à luire dans l'emportement d'une fulgurante colère.

À côté du prince, vêtu d'un costume du temps de Louis XVI – et l'on sait qu'en fait de modes, la Russie était, à cette époque, de quelques années en arrière sur nous –, était suspendu un portrait de femme de haute taille. Cette femme était habillée d'une robe de satin jaune brodée de dentelles à la mode de la fin du règne de Louis XVI ; ce qui pouvait correspondre pour nous, comme date, au commencement de l'Empire. Son visage était charmant ; ses yeux respiraient une vive intelligence jointe à une indéfinissable tristesse. Cette femme avait dû, bien certainement, être malheureuse, et, si elle avait eu quelques moments de joie dans sa vie, ces moments avaient lui et disparu avec la rapidité de l'éclair.

– C'est la princesse Marfa-Petrovna, me dit le serviteur, qui voyait l'attention que je donnais à ce portrait, la femme du prince

Alexis.

Mais déjà mes yeux s'étaient détournés de ce portrait, si intéressant qu'il fût, pour se reporter sur un autre portrait de femme.

Celle-là était habillée d'une robe bleue à baleines comme on les a portées à la cour de Russie jusqu'à l'année 1806 ou 1807 ; sa taille était mince et coquettement cambrée ; sa main, d'une forme charmante et pleine de finesse et d'aristocratie, tenait une branche de verveine ; mais, chose étrange ! le visage de cette ravissante créature était couvert d'une immense couche de couleur noire.

– Qu'est-ce que ce portrait ? demandai-je vivement au serviteur qui m'avait nommé les autres.

– Ah ! me dit-il, quant à ce portrait, on ne peut faire que des suppositions ; car nul ne le sait sûrement. Cependant la version la plus répandue serait qu'il représente la belle-fille du prince Alexis, la femme du prince Boris-Alexiovitch, la mère du dernier prince Danilo.

– Mais pourquoi cette couche de couleur noire sur son visage ?

– Le Seigneur Dieu le sait ; la dame probablement n'était pas belle.

– N'y a-t-il aucune tradition là-dessus ?

Le serviteur hésita.

– Il ne faut pas toujours croire tout ce que l'on raconte, dit-il.

– Mais, enfin, que raconte-t-on ? demandai-je.

Il secoua la tête.

– Il n'y a qu'un seul homme au monde qui sache la vérité sur cela, dit-il ; mais il n'a jamais voulu rien dire.

– Et quel est cet homme ?

– Vous le connaissez, monsieur le comte.

– Moi ? dit le jeune capitaine.

– Oui, c'est Jacquot sans Oreilles.

– Dont le petit-fils est au service de mon père ?

– Justement.

– Vit-il donc toujours ?

– Il vient d'accomplir sa centième année.

– Et où demeure-t-il ? demandai-je.

– Il demeure à Makarief.

– Vous entendez, capitaine ?

– Oui ; mais il avait fait vœu, s'il atteignait sa centième année, de faire un pèlerinage au couvent de Troïtza. Il a atteint sa centième année avant-hier, et hier il est parti.

– Sapristi ! je n'ai pas de chance ! m'écriai-je.

– Eh bien, voyons, me dit le capitaine, si vous voulez rester un jour de plus à Makarief avec moi, je vous promets une chose.

– Laquelle ?

– C'est de guetter le retour de Jacquot, de lui faire raconter d'un bout à l'autre l'histoire du prince Alexis Groubenski et de vous l'envoyer.

– Ferez-vous cela, comte ?

– Parole d'honneur.

– En ce cas, je reste avec vous, non pas un jour, mais deux.

Et j'y fusse resté non seulement deux jours, mais huit jours, mais quinze jours, mais un mois, si je n'avais eu mes deux compagnons de voyage qui m'attendaient à Kazan.

C'était un bien charmant homme que ce comte Varinkof, et, de plus, un homme de parole.

Et la preuve, c'est que je reçus, deux mois après mon retour en France, le manuscrit que l'on va lire, tel qu'il m'a été envoyé et auquel, de peur de lui ôter son caractère d'originalité, je n'ai absolument rien changé que le titre.

Il était intitulé *les Anciennes Années,* et paraissait écrit par un ancien intendant du prince Danilo, fils du prince Boris, fils du prince Alexis.

Où et comment le comte Varinkof a-t-il découvert ce manuscrit, je n'en sais rien, et ne crois pas qu'il soit d'une grande importance pour mes lecteurs de le savoir.

Qu'il les amuse, c'est tout ce qu'il faut.

I

Le pavillon rose

Ce fut le 17 juin 1828 que nous arrivâmes au château de Groubenski, le prince Danilo et moi.

Le prince Danilo ne connaissait pas ce château, ayant été élevé à Saint-Pétersbourg, et n'y étant jamais venu du vivant de son grand-père, le prince Alexis, lequel était trépassé il y avait deux années à peu près.

Le prince Danilo venait de perdre son père le prince Boris, et il avait voulu juger par lui-même de ce qu'était ce château de Groubenski, dont il avait entendu parler.

Nous arrivâmes vers les dix heures du soir ; le prince se coucha en arrivant, car il était très fatigué.

Le lendemain, à huit heures du matin, il me fit appeler dans sa chambre ; je le trouvai encore au lit.

– Ivan, me dit-il, qu'est-ce donc que ces hurlements que j'ai entendus pendant toute la nuit, et qui m'ont empêché de fermer les yeux une seule minute ?

– Seigneur, répondis-je, ce sont, selon toute apparence, ceux des chiens qui, de leur chenil, auront senti l'approche de quelques bêtes fauves.

– Oh ! oh ! fit le prince Danilo-Borisovitch en fronçant le sourcil ; y a-t-il donc un chenil au château ?

– Comment donc, mon prince ! répondis-je, croyant lui apprendre une agréable nouvelle, vous possédez une meute superbe : cinq cents chiens courants, cent vingt couchants et soixante lévriers ; quant aux valets de chenil, vous en avez bien une quarantaine.

– Ainsi donc, s'écria le prince, il y a chez moi six à sept cents chiens et quarante hommes pour les servir ?

– À peu près, monseigneur, répondis-je.

– Mais ces damnés animaux, reprit le prince, doivent manger autant de pain, pendant un jour, qu'il en faudrait pour rassasier cent cinquante pauvres gens pendant un mois.

– Oh ! davantage, monseigneur !

– Eh bien, je vous prie, Ivan, de vous arranger de telle façon que tous ces chiens soient pendus ou noyés ce soir ; quant à leurs valets, vous les mettrez à un travail quelconque ; ceux qui pourront gagner de l'argent ailleurs, vous leur donnerez leur congé ; et l'argent qui était employé à l'entretien de la meute, nous le consacrerons à fonder une école primaire à Makarief ou à Niskevo.

– J'obéirai à Votre Excellence, répondis-je.

Et, m'inclinant, je sortis pour donner l'ordre que les six cent quatre-vingts chiens courants, braques ou lévriers, fussent noyés ou pendus le soir même, ainsi que daignait le désirer monseigneur.

Mais, une demi-heure plus tard, et comme l'exécution allait commencer, arriva chez le prince un vieillard d'une soixantaine d'années ; son visage était ridé, ses cheveux blancs tombaient sur ses épaules ; il n'avait plus une seule dent, mais ses yeux brillaient d'un éclat indiquant qu'il était loin d'être arrivé au terme de sa vie.

Quant à son costume, il se composait d'un habit de velours couleur de framboise avec des passementeries d'or, d'une culotte de peau, et de grandes bottes dites à la française.

Son habit était serré à la taille par une ceinture circassienne, et un couteau de chasse pendait à son côté.

Il tenait à la main son chapeau à trois cornes.

Quoique un peu dur, comme on a pu le voir, pour les chiens, le prince Danilo, qui était un philanthrope, était excellent pour les hommes.

Il reçut donc le vieillard avec affabilité et lui demanda qui il était.

– Sauf votre respect, monseigneur, répondit celui-ci d'une voix ferme, je suis un ancien serf de Votre Excellence ; je me nomme Jacquot sans Oreilles, et j'étais, au moment de sa mort, premier écuyer du prince Alexis votre grand-père.

Sans doute ce nom de Jacquot sans Oreilles n'était point inconnu du prince Danilo, car il leva vivement les yeux vers la place où manquaient les oreilles, dont l'absence avait fait donner au pauvre Jacquot le sobriquet sous lequel il était connu.

– Sois le bienvenu, mon ami, dit le prince Danilo, et assieds-toi ; tu es fatigué, peut-être ?

– Merci, monseigneur. Il ne serait point séant à moi de m'asseoir devant Votre Excellence ; non, je viens seulement me prosterner à ses pieds, et la prier d'exaucer ma prière.

– À quel sujet ? mon vieux ? demanda Danilo-Borisovitch.

– On dit, monseigneur, que vous avez daigné abaisser sur nous votre colère princière.

– Qu'as-tu donc, mon pauvre Jacquot ? Perdrais-tu la raison, par hasard ?

– Eh ! monseigneur, il n'y aurait rien d'étonnant qu'on perdît la raison à la vue d'une pareille inhumanité : exterminer six cent quatre-vingts chiens qui n'ont rien fait à personne ! Mais, monseigneur, ce n'est ni plus ni moins que le massacre des saints Innocents par le roi Hérode ! En quoi ces pauvres chiens ont-ils démérité de Votre Excellence ? Croyez-le bien, ce n'est point une simple plaisanterie que de répandre une si grande quantité de sang, et, quoique ce soit du sang d'animaux, vous répondrez de ce sang devant Dieu.

– Assez, vieillard ! j'ai décidé que cela serait ainsi ; cesse donc...

Mais le vieillard interrompit hardiment son seigneur.

– Et pourquoi cesserais-je, moi ? Ne suis-je pas le seul défenseur que le bon Dieu ait donné à ces pauvres bêtes ? Si je me tais, qui parlera pour elles ? Je continue donc. Comment pouvez-vous, monseigneur, être assez cruel pour faire massacrer ces malheureux chiens ? Car enfin, cette meute, fondée par vos aïeux, elle fait partie de la famille, elle existe, toujours nouvelle, et cependant toujours la même, depuis plus de cent ans ; sa renommée, après avoir parcouru toute la Russie, a pénétré jusqu'en France, et il en a été parlé dans les cours étrangères ; plusieurs souverains ont écrit ou fait écrire à vos aïeux pour en avoir de la race ; et, tout à coup, sans aucune raison, cette race si vantée, vous voulez la détruire ! À quoi penses-tu, mon petit père ? dit le vieillard en s'échauffant. Mais, si tu commettais une telle action, les os de tes pères se retourneraient dans leur tombe et le spectre du pauvre Alexis sortirait de son cercueil pour tendre son bras décharné sur toi et te maudire... Rappelez-vous donc, mon digne seigneur et mon cher maître, que le chenil des princes

Groubenski existe intact et va toujours s'augmentant depuis le règne de Pierre le Grand, de glorieuse mémoire ! Pour quel motif voulez-vous donc y toucher si cruellement aujourd'hui ? N'oubliez pas que le massacre des strélitz a été une tache dont le grand empereur a eu bien de la peine à se laver, et cependant les strélitz étaient coupables, tandis que les chiens ne le sont pas ; ce serait, pour vous et votre descendance princière, une honte éternelle, une ineffaçable humiliation que de n'avoir pas de meute, sans compter les remords de votre propre conscience, que vous chargeriez d'un grand poids par un pareil meurtre. Le chien, seigneur, est aussi une créature de Dieu, et il est dit dans les Écritures : « Heureux celui qui aimera les animaux ! » Comment alors, toi, mon petit père, qui as le visage si bon, peux-tu agir ainsi contre la volonté de Dieu ?... Vous voyez, monseigneur, j'ai mis, pour me présenter devant vous, le costume que je portais quand j'avais l'honneur d'être palefrenier de confiance, autant vaut dire écuyer, de votre grand-père, de riche mémoire, le comte Alexis ; ce costume est resté dans l'armoire depuis six ans ; je croyais ne plus le mettre que pour être enterré ; voyez, monseigneur, j'ai mis aussi la ceinture circassienne qui me fut donnée par lui, trois jours après l'arrivée bienheureuse de votre mère au château ; vous étiez encore au berceau, mon petit père. Trois jours après cette arrivée, qui était un objet de crainte pour tout le monde, et que le seigneur bénit cependant, il y eut grande chasse. Personne de nous ne put forcer le renard, sinon notre voisin Ivan Ramirof, qui faillit l'atteindre ; ce que voyant, je me lançai à la poursuite du méchant animal et l'atteignis, moi, sauvant ainsi l'honneur de la maison. Maintenant, j'ai tout dit ; vous pouvez agir à votre volonté, mon cher seigneur ; seulement, je ne quitterai pas cette chambre que je n'aie obtenu la grâce de mes chiens.

– Mais que veux-tu, enfin ?... demanda le prince, qui commençait à s'attendrir à ce long plaidoyer.

– Je veux, mon prince, que si telle est toujours votre volonté de faire pendre et noyer les chiens, il plaise d'abord à Votre gracieuse Excellence de me couper la tête ; ensuite, vous pourrez massacrer à loisir ces innocents animaux, et pas une voix ne s'élèvera pour les défendre ; mais, en ce costume et avec cette ceinture, je me présenterai devant votre père, votre grand-père, vos aïeux, vos ancêtres ; je leur montrerai mes pauvres chiens égorgés et ceux qui les gardaient avec autant de sollicitude et de soins qu'ils gardaient la prunelle de leurs yeux ; que diront-ils à cette vue ? je vous le demande. Je suis un homme d'ancienne date, dit le vieillard en secouant la tête, et vos manières d'aujourd'hui me sont étrangères ; faites-moi donc partir au plus vite pour rejoindre ceux dont j'honorais les habitudes et qui m'aimaient parce que j'aimais mes pauvres chiens.

C'était tout ce dont le pauvre vieillard était capable.

À la violente surexcitation qui l'avait soutenu, succéda un complet anéantissement ; sa voix s'éteignit, sa respiration devint haletante, ses jambes tremblèrent, et il fût tombé à la renverse si le prince ne l'avait soutenu.

On l'emporta sans connaissance ; mais la chaleureuse intervention du vieux Jacquot sans Oreilles sauva les chiens, et le chenil, qui devait disparaître plus tard, fut préservé cette fois.

Et non seulement le chenil fut préservé, mais encore le prince Danilo-Borisovitch prit en amitié le vieux Jacquot sans Oreilles. Il le faisait souvent venir chez lui pour l'interroger sur ses anciennes années, et il arrivait ainsi qu'ils passaient parfois ensemble des heures entières.

Une fois, le soir, à la suite d'un de ces longs entretiens avec le vieillard, le prince m'envoya chercher ; je me rendis immédiatement à ses ordres.

Je trouvai le prince en proie à une violente émotion.

– Ivan-Andréovitch, êtes-vous, me demanda-t-il, capable de passer quelques heures avec moi ?

– J'y compte bien passer toute ma vie, mon prince, lui répondis-je.

– Oui, oui, c'est convenu ; mais j'entends autre chose. Êtes-vous capable de m'aider à démolir... ?

Le prince s'arrêta.

– À démolir quoi ? demandai-je.

– À démolir ou à percer une muraille en pierre. Jacquot vient de me raconter une histoire fort étrange qui intéresse notre famille et moi particulièrement. Voyez-vous, Ivan-Andréovitch, je voudrais savoir, au juste, s'il me fait des contes bleus ou s'il me dit la vérité ; je ne puis mêler à cette affaire aucun étranger et surtout aucun de mes serfs ; ne me refuse donc pas, Ivan.

Je consentis à l'instant même, comme on le comprend bien, et je demandai au prince quelle chose lui avait racontée Jacquot.

– Demain, demain, me dit le prince. Tout cela, au bout du compte, peut n'être qu'une histoire stupide ; il m'est avis que le pauvre Jacquot sans Oreilles commence à radoter ; il m'a raconté des choses qui me semblent impossibles. Au reste, je tiens absolument à m'en assurer par moi-même ; demain donc, nous saurons à quoi nous en tenir sur ce fait étrange ; je compte sur vous, Ivan.

Je renouvelai au prince la promesse que je lui avais faite de l'aider le lendemain dans tout ce qu'il voudrait. Le prince alors commença de m'entretenir sur les affaires d'exploitation des terres, du labourage, de la coupe des bois ; mais, tout en me parlant de ces choses, il était visiblement préoccupé d'un autre sujet ; il n'entendait rien de ce que je lui disais, et ses paroles à lui-même avaient si peu de suite, que c'était à grand-peine si je les comprenais.

– À demain ! me dit-il enfin en se levant et en me tendant la main.

– Demain, comme aujourd'hui, je serai aux ordres de Votre Excellence.

J'avoue que le côté mystérieux de l'événement avait tellement captivé mon esprit et éveillé mon imagination, que je ne dormis pas de la nuit ; bien m'en prit, car, à peine parurent les premiers rayons du jour, que le prince m'envoya chercher.

– Vous êtes prêt, n'est-ce pas ? me dit-il en me voyant entrer dans son cabinet. Eh bien, moi aussi, je suis prêt. Nous allons donc partir.

Et, me donnant l'exemple, il descendit le premier le perron, après avoir recommandé qu'en son absence personne ne pût entrer dans le jardin, pas même Jacquot sans Oreilles.

Nous traversâmes une grande partie du parc, nous franchîmes les deux petits ponts jetés sur la rivière artificielle, et nous nous dirigeâmes vers le pavillon rose.

Dans l'antichambre de ce pavillon, nous trouvâmes deux pioches, quelques bougies de cire et une boîte en bois noir de moyenne grandeur.

Tous ces objets avaient été apportés par le prince lui-même avant notre arrivée.

Le pavillon se composait de cinq ou six pièces ; après en avoir franchi trois, le prince s'arrêta, frappa, du levier qu'il portait à la main, contre une épaisse muraille, et dit :

– C'est ici.

Nous nous mîmes immédiatement à l'ouvrage, et, au bout d'une heure et demie, la muraille offrit une ouverture suffisamment large pour donner passage à un homme. Le prince alluma deux bougies, m'en donna une, et nous pénétrâmes dans cette pièce obscure et hermétiquement murée de tous côtés.

L'odeur qui s'exhalait de cette espèce de tombeau avait failli me retenir de l'autre côté de l'ouverture ; cependant, ayant vu le prince y passer, je l'avais suivi.

Mais, à peine entré, je sentis mes cheveux se dresser sur ma tête ; ce n'était plus seulement une odeur de cadavre qui frappait mon odorat : c'était, au milieu des débris de quelques meubles à moitié pourris, un squelette humain qui m'apparaissait gisant à terre.

Le prince, à cette vue, se signa et dit :

– Seigneur, ayez pitié de l'âme de votre servante, car peut-être est-elle morte dans le désespoir !

Puis, se tournant vers moi après quelques moments de silence :

– Le vieillard n'avait pas menti, dit-il.

– Qu'est-ce que cela ? demandai-je, à peine revenu de la violente émotion que je venais d'éprouver.

– Ce sont les *péchés des anciennes années*, mon cher Ivan-Andréovitch. Je vous raconterai tout cela un jour ; mais, en ce moment, la chose me serait impossible ; aidez-moi seulement à ramasser ceci.

Et il me donna l'exemple en ramassant pieusement les os épars à ses pieds ; je l'y aidai en faisant un suprême effort sur moi-même. Nous plaçâmes tous ces débris dans la boîte, préparée d'avance ; le prince la ferma à clef et mit la clef dans sa poche.

En recueillant ces restes mortels, nous avions trouvé, au milieu d'eux, une paire de boucles d'oreilles en diamants, les restes d'un collier de perles, une alliance d'or, quelques fils de métal et quelques restes de baleine auxquels adhéraient encore des lambeaux à demi pourris d'une étoffe de soie dont il eût été impossible de dire la couleur.

Le prince serra soigneusement les boucles d'oreilles, les restes du collier et l'alliance ; nous emportâmes la boîte, et, exténués de fatigue, brisés par les émotions morales, nous rentrâmes au château.

– Faites venir immédiatement cinquante travailleurs avec des leviers et des pioches, dit le prince au bourgmestre, qui traversait la cour.

Quant à moi, je me rendis à mon logement pour me laver et changer de vêtements.

Lorsque je revins chez le prince, je ne le trouvai pas dans le cabinet où il se tenait habituellement.

– Où est le prince ? demandai-je à son valet de chambre.

– Il est dans la galerie des portraits, me répondit celui-ci.

Je m'y rendis et le trouvai effectivement encore tout couvert de poussière et de plâtre, dans le même état enfin où je l'avais vu sortant du pavillon rose. Il contemplait, dans un profond silence et dans la plus complète immobilité, un portrait de femme chez lequel, par un caprice étrange des anciens possesseurs du château, le visage était couvert d'une immense couche de noir.

La boîte qui renfermait les ossements étaient placée sur le plancher, juste au-dessous du portrait.

Je regardai le prince ; il pleurait silencieusement.

On vint lui dire alors que les travailleurs étaient arrivés.

Il essuya son visage tout mouillé de larmes, et sortit en me faisant signe de le suivre.

Le prince conduisit les travailleurs au pavillon rose, et, l'ayant montré aux ouvriers, il leur ordonna de le démolir jusque dans ses fondations et d'en porter les matériaux à l'église de Niskevo, qu'il faisait bâtir juste au même moment.

Mais, avant d'y mettre les ouvriers, il voulut entrer encore une fois lui-même dans la chambre sépulcrale pour passer une dernière inspection des choses qui pouvaient s'y trouver.

Bien lui en prit : sur une des murailles, gravée avec une pointe, était cette inscription dont je ne pus lire que ce que j'en rapporte ici :

L'an 1807 – le 14 octobre.

« Adieu, mon bien-aimé Boris ! ta chère Varvara... ici, par la cruauté de ton... »

– Une hache ! s'écria le prince, une hache !

Je lui donnai une hache d'une main tremblante ; car ce nom de Boris, c'était le nom de son père, et ce prénom de Varvara, c'était celui de sa mère.

Il prit la hache, fit voler en éclats la pierre qui portait l'inscription, en criant aux travailleurs :

– Démolissez ! arrachez ! brisez ! et que, avant ce soir, ce pavillon soit démoli au ras de terre.

Le soir, le pavillon était démoli jusqu'en ses fondements.

Le lendemain, au point du jour, une voiture du prince nous attendait à la porte du château ; nous y montâmes, emportant avec nous la boîte aux ossements enveloppée, comme un cercueil, d'un drap noir avec une croix d'argent.

– Au monastère de Makarief, dit le prince au cocher.

Arrivés là, nous trouvâmes les moines réunis dans la cour ; on déposa la boîte dans le caveau des princes Groubenski ; puis nous assistâmes à un service funèbre pour le repos de l'âme de la princesse Varvara.

Le même soir, le prince Danilo-Borisovitch, le dernier de la race des princes Groubenski, partit pour Saint-Pétersbourg, n'emmenant que moi seul, et donnant congé et liberté à tout le monde.

Trois ans après, il mourut, n'oubliant dans son testament ni moi ni Jacquot sans Oreilles.

Le bruit de notre mystérieux travail et de la démolition du pavillon rose se répandit rapidement dans le peuple. Comme on nous avait vus emporter du pavillon la boîte noire, on raconta que le prince y avait trouvé un coffre plein d'or et de pierreries ; pour accréditer cette croyance, le prince Danilo, à son retour à Saint-

Pétersbourg, raconta lui-même que Jacquot sans Oreilles lui avait découvert une cachette dans laquelle le prince Alexis avait déposé quelques bijoux de famille. Tout le monde félicita le prince de cette heureuse trouvaille, et, comme nous avions reçu l'ordre, Jacquot sans Oreilles et moi, de faire le même conte, tout le monde y crut.

II

Le prince Alexis

– Non, mon petit père, me dit un jour Jacquot sans Oreilles dans une de ces conversations qui suivirent sa bienheureuse intercession en faveur des chiens, non, dans l'ancien temps, on ne vivait pas de la même manière qu'aujourd'hui. Autrefois, lorsque l'on était grand seigneur, on vivait en grand seigneur ; mais aujourd'hui, sous le règne de notre bon empereur Nicolas, que Dieu conserve ! tout est devenu petit et mesquin, et les splendeurs des anciens temps tombent et dépérissent chaque jour ; il est très probable que le monde en est à ses dernières années et marche à grand pas vers sa fin... Ah ! je le répète, mon petit père Ivan-Andréovitch, continuait Jacquot sans Oreilles avec un profond soupir, en contemplant ce qui se passe autour de moi, il m'arrive parfois de commettre le péché de murmurer ces paroles impies :

« Pourquoi, Seigneur, avez-vous, dans votre colère, jugé bon de me laisser encore au nombre des vivants ? Il serait temps, cependant, que mes vieux os dormissent du sommeil éternel ; mes yeux ne verraient pas le temps présent et ne verseraient pas les larmes qu'ils versent ! »

Tout est réduit maintenant à un pied si petit et si mesquin, que cela fait honte à ceux qui ont vu les anciens jours. Vois mon maître le prince Danilo, par exemple : à peine possède-t-il un millier d'âmes, et, dans ce château, s'il reste trente ou quarante domestiques, c'est tout ! Peut-on considérer cela comme le service d'une maison pareille à la nôtre ? Je sais bien que la meute est belle ; mais tu n'ignores pas que sans moi la pauvre meute disparaissait.

Reste donc la meute.

Mais les musiciens, mais les chasseurs, mais les nains, mais les fous, mais les nègres, mais les coureurs, mais les muets, que sont-ils devenus ? Et cependant ils faisaient autrefois les accessoires – les accessoires, entends-tu bien ? – de toute maison se respectant un peu. Eh bien, cherche, Ivan-Andréovitch, et tu n'en trouveras plus aucune trace, non seulement chez mon maître, mais, je puis le dire, chez aucun seigneur russe ; ils vivent tous avec une parcimonie déplorable ! J'offre de parier que tu n'en trouveras plus un seul, de toute la génération actuelle, qui sache conduire un carrosse à six chevaux ; ils vont tous pauvrement à deux chevaux, sans crainte de passer pour des gens de rien ou pour des marchands !

Mais à quoi bon des chevaux pour ces gens-là ? Nous sommes arrivés à cette abomination, que l'on attelle un seul cheval à une voiture à peine visible ; le laquais s'y assied auprès de son maître, et, se croisant tranquillement les bras, il se fait conduire par ce maître devenu le cocher de son domestique !... Ah ! cher Ivan-Andréovitch, c'est moi qui vous le dis, et vous pouvez m'en croire sur parole, je ne puis voir sans en être malade le degré d'abaissement où nous sommes tombés. On peut dire tout simplement qu'il n'y a plus aujourd'hui aucune dignité sur la terre, et Dieu sait ce qui peut en advenir !

Voyez où en sont arrivés nos nobles ! il y en a qui n'ont pas honte de s'occuper d'industrie, d'autres qui ont épousé des marchandes et qui tiennent eux-mêmes leurs livres de commerce. Pourquoi ne laissent-ils pas tout de suite pousser leur barbe et ne portent-ils pas leur pantalon dans leurs bottes avec la chemise de coumach par-dessus le pantalon ? Si seulement ils tiraient de là quelques richesses, mais bah ! ils s'endettent de plus en plus ; chacun d'eux doit plus qu'il n'économisera dans toute sa vie ; et, quant à l'argent à venir, on les entend se plaindre tous les jours du temps qu'il met à arriver.

Ah ! si leurs pères, si leurs aïeux, si leurs ancêtres, que Dieu garde dans son royaume éternel ! pouvaient sortir de leurs tombes, comme ils enverraient bien vite à l'écurie, pour y recevoir le fouet, leurs chers petits-enfants, et là, selon les bonnes vieilles coutumes, ils leur feraient prendre de si belles frictions de knout et de verges, que ceux-ci jugeraient peut-être prudent de changer de manière de vivre.

Ainsi, tenez, mon petit père, voici notre maître Danilo-Borisovitch, eh bien, il lui reste encore un millier d'âmes, à peu près ; par conséquent, il pourrait être un seigneur. Ah bien, oui ! en a-t-il seulement la mine ? Il a fait ses études à Moscou dans une université... – comment disent-ils ? je n'en sais rien ! – ni plus ni moins que les fils d'un marchand du pont des Maréchaux ou de la Grande-Millione, et s'y est assis, à ce que l'on assure – je dois dire que j'ai peine à le croire –, sur les mêmes bancs que les fils du cordonnier et du tailleur !... Eh bien, vous, Ivan-Andréovitch, vous qui êtes un homme raisonnable et judicieux, dites-le, pour l'amour de Dieu, est-il possible que des cordonniers et des tailleurs puissent être les camarades d'un prince ? Qu'en est-il résulté ? C'est qu'il n'a ennobli ni les cordonniers ni les tailleurs, et qu'il a pris, dans leur compagnie, les façons que vous lui voyez.

Lorsqu'il est arrivé ici, au lieu d'ordonner une chasse splendide, au lieu d'offrir à la noblesse du voisinage un de ces magnifiques repas comme en donnaient ses ancêtres, quel a été son premier ordre ?

– Faites pendre et noyer les chiens !

Je lui pardonne, puisque l'ordre n'a pas été exécuté... Non, il préfère aller aux veillées chez les moujiks, danser avec leurs filles, se faire raconter par les vieillards quelque histoire du czar Ivan le Terrible, ou se faire répéter quelque antique chanson des cosaques ou des strélitz ! Est-ce là un passe-temps digne d'un prince ? Sans compter qu'il achète de vieux livres et de vieilles images à des prix fous !

Un jour, il aperçut un vieux mendiant aveugle qui, appuyé contre le mur d'un bazar, chantait, d'une voix nasillarde, une vieille chanson en l'honneur de saint Vladimir. Ah ! saints apôtres ! le prince, en entendant cette chanson, frémit de plaisir. Il saisit le vieux mendiant par la main, le fit monter dans son carrosse, l'amena avec lui au château, et, en y arrivant, le conduisit tout droit à son cabinet ; puis il plaça le vieux coquin dans un beau fauteuil de velours ; et, lorsqu'il l'eut installé ainsi commodément, il le gorgea de vin et d'eau-de-vie, lui fit apporter ce qu'il y avait de meilleur sur sa propre table ; enfin il le pria – quand il pouvait le lui ordonner et l'envoyer à l'écurie s'il refusait –, il le pria de recommencer de nouveau à chanter sa chanson de saint Vladimir. Alors, bien convaincu que le prince ne se moquait pas de lui, le vieux coquin entonna son cantique à plein gosier, et il le braila d'un bout à l'autre, tandis que le prince se donnait la peine de l'écouter lui-même comme si c'était quelque chose de bien précieux ! Pendant trois jours – vous avez vu cela, mon petit père, puisque vous étiez ici –, pendant trois jours, il hébergea ce sale mendiant ; pendant trois nuits, ce vieux chien coucha sur un lit de plumes, et, quand il eut chanté tous ses cantiques, le prince lui donna vingt roubles, un habit complet, et le fit reconduire à l'endroit où il l'avait pris, disant tout joyeux :

– C'est de l'or que ces chansons, de l'or pur ! et je donnerais, pour de pareils trésors, jusqu'à ma dernière déciatine de terre.

Voyons, Ivan-Andréovitch, n'est-ce pas de la folie, cela ?

Et, quand il lui prend l'idée de faire des *fouilles*, comme il dit, c'est bien autre chose ! Alors, il fait démolir tous les vieux tombeaux. Dieu lui pardonne de troubler ainsi les morts dans leur dernière demeure ! Ne l'avez-vous pas vu prendre lui-même la pioche et se mettre à creuser la terre entre deux moujiks ? Puis, quand il trouve quelque vieux brimborion de cuivre ou quelque vase de terre ébréché, qui n'est pas bon à servir d'écuelle à un chien, il saute de joie, il enveloppe tout ça dans du papier comme s'il avait retrouvé le collier ou le bracelet de la reine Soubika !

Non, non, par saint Serge, mon petit père, nous vivions autrement que cela au bon vieux temps ; alors, les grands seigneurs ne hantaient que les grands seigneurs, et non seulement des ordures comme ce mendiant aveugle ne fussent pas entrées dans leur palais pour se prélasser sur leurs fauteuils, mais ils n'eussent même jamais osé admettre dans leur familiarité des gens qui n'auraient pas été de leur rang ou qui n'auraient pas eu leur fortune ; on ne voyait ceux-ci que par occasion, comme simples connaissances, et on ne les recevait que pour compter à table quelques convives de plus que n'en pouvait réunir leur voisin. De leur côté, ils devaient, comme on disait alors, marcher sur la corde, et, s'ils s'en écartaient, on les remettait sur le chemin à coups de fouet. C'est ainsi qu'il faut procéder ; s'il ne gelait point pour les pois, ils pousseraient aussi haut que les peupliers.

Ah ! voilà comme on vivait au bon vieux temps !

Prenons pour exemple le prince Alexis, Seigneur Dieu ! quelle belle vie que celle-là. Le château était un vrai paradis : quelle richesses ! quelle abondance ! La seule argenterie de table pesait cent quarante pouds; dans la cave, il y avait des barils pleins de roubles. Et, quant à la monnaie de billon, comme le blé, on la déposait au grenier, dans des cases. Il y avait deux chœurs de musiciens composés chacun de soixante exécutants ; il y avait cinq cents chevaux de selle et deux cents chevaux de trait ; il y avait mille chiens, dix-huit fous, douze nègres et autant de muets. Le minimum de convives était de quarante à la grande table, sans compter les petites. On peut dire que notre maison alors ressemblait à une coupe pleine. Et le maître de tout cela, quel grand seigneur c'était, mon Dieu ! vous pourriez parcourir aujourd'hui le monde entier avec des torches allumées en plein midi, que vous ne trouveriez pas son pareil... Hélas ! tout cela a passé, tout cela a disparu pour ne plus revenir : il n'y a pas deux étés dans la même année.

Je dois être cru quand je parle du prince Alexis, car je n'ai pas toujours eu le bonheur d'être dans ses bonnes grâces.

Je fus d'abord chez lui valet de chenil, puis palefrenier. J'occupais ce dernier poste, lorsqu'un jour il lui prit l'envie, à la suite d'un dîner intime avec quelques amis, de me faire venir au dessert pour lutter avec son ours. Quand le prince Alexis daignait vous ordonner une chose, il n'y avait point à aller à l'encontre.

L'ours se dressa sur ses pattes de derrière, et nous nous prîmes corps à corps. Cela allait assez bien, et je crois qu'à l'aide d'un croc-en-jambe décisif j'allais le jeter à la renverse, lorsque le damné quadrupède, se sentant sur le point d'être vaincu, m'attrapa l'oreille et me la mangea à belles dents.

– Saukinsin, lui dis-je, veux-tu lâcher ? Non ?... Une fois, veux-tu lâcher ? Deux fois, trois fois, veux-tu lâcher ? Non ?... Attends !

Je pris mon couteau dans ma poche et le lui enfonçai jusqu'à la garde sous l'aisselle. L'ours tomba raide mort, mais mon oreille droite entre les dents. Ce que voyant le prince Alexis, il me coupa l'oreille gauche pour m'apprendre à avoir tué l'ours sans sa permission.

C'est depuis ce temps-là que l'on me nomme Jacquot *sans Oreilles*. Mais, comme le prince avait passé sa colère, il ne me garda pas rancune. On empailla l'ours, et on le mit dans l'antichambre contre un tronc d'arbre auquel il avait l'air de monter. Quant à moi, je fus, quelque temps après, élevé au grade de piqueur.

Par malheur, à la première chasse que je dirigeai, je laissai échapper le renard et ne pus jamais remettre les chiens sur la voie. Le prince, furieux, daigna, séance tenante, m'administrer une correction paternelle de cinquante coups de knout ; puis, de retour au château, il m'envoya à l'écurie, où l'on me compta cent autres coups de verges ; après quoi il décida que je n'étais bon qu'à garder les pourceaux, et, m'envoyant à cette intention dans une de ses propriétés, il me chassa de la maison princière.

Cinq ans plus tard, il daigna me rendre sa bienveillance. Voici comment la chose arriva.

Un matin, le prince partit pour la chasse au point du jour. Il gelait, et déjà la Volga se couvrait d'une légère couche de glace, mais si mince, qu'il était facile de la briser d'un coup de talon. C'était une chasse au rabat, et l'on tua plus de cent cinquante pièces, tant renards que lièvres. Alors on fit halte sur le plateau de Niskevo, qui, de la hauteur d'une trentaine d'archines, descend presque à pic sur la Volga. Le prince Alexis, déjà très content de sa chasse, voulut s'égayer encore un peu ; d'abord, il s'assit sur un baril de vodka, et, après avoir bu le premier un grand verre de la liqueur, il fit la gracieuseté d'en offrir autant à tout le monde, de sa propre main. Après quoi, voulant donner à ses hôtes une marque de sa bonne humeur, il ordonna à ses piqueurs d'exécuter le divertissement du *rejak*, divertissement peu pratiqué de nos jours...

En effet, je ne savais pas moi-même ce que c'était que le rejak, et j'interrogeai là-dessus Jacquot sans Oreilles.

– Oh ! c'était un divertissement des plus gracieux, me répondit Jacquot sans Oreilles. Il fallait, du sommet de la montagne dominant la Volga, piquer une tête dans le fleuve, percer la croûte de glace qui commençait à le couvrir, plonger sous l'eau, et reparaître à un endroit plus ou moins éloigné.

C'était le divertissement favori du défunt prince Alexis, que Dieu garde dans son saint royaume ! Mais, cette fois, il arriva que personne ne fut assez adroit pour exécuter le divertissement du rejak à sa satisfaction.

L'un tomba à plat, tout de son long, sur le fleuve, et, présentant une surface trop large, ne perça point la glace ; celui-là reçut immédiatement quinze coups de knout sur le dos pour lui apprendre à ne pas donner un plat ventre quand il s'agit de donner une tête.

Un autre, avant d'avoir atteint la rivière, se rompit le cou sur une saillie de la berge ; et trois autres idiots, après avoir très bien plongé et percé la glace du haut en bas, ne surent pas la percer du bas en haut, et restèrent à monter la garde chez les poissons.

Le prince eut alors un violent accès de colère ; il prit son fouet, criant :

– Ah ! drôles ! c'est comme cela que vous me divertissez ! eh bien, je vais taper sur vous jusqu'à ce que mort s'ensuive.

Mais il se ravisa ; voyant qu'il ne pouvait faire faire l'exercice à ses palefreniers et à ses écuyers, il s'adressa aux petits nobles ses commensaux.

– Voyons, dit-il, essayez, vous autres, et montrez-leur que des gentilshommes sont plus habiles que des moujiks.

Mais, avec ceux-là, ce fut bien pis : un seul parvint à rompre la glace d'une façon convenable et plongea la tête la première ; mais, une fois sous la glace, craignant sans doute qu'on ne le forçât de recommencer, il fit au prince la farce de ne pas sortir.

Alors le prince Alexis sentit sa colère s'en aller sous la honte, et, fondant en larmes comme un enfant :

– Il paraît, dit-il, que mes derniers jours approchent, puisqu'il n'y a plus autour de moi un seul homme assez brave et assez adroit pour exécuter le rejak d'une façon convenable. Vous êtes tous un tas de vieilles femmes !... Oh ! ajouta-t-il, mon pauvre Jacquot sans Oreilles, où es-tu ?...

Pujis, se retournant vers ceux qui l'entouraient :

– En voilà un brave, dit-il, et qui exécutait le rejak jusqu'à trois fois de suite. Où est-il ? où est-il ? Amenez-le moi !

On s'approcha du prince, et timidement on lui dit :

– Petit père Alexis, ne te souvient-il plus que tu as daigné l'exiler parce qu'il avait démérité de toi ?

– Eût-il craché sur la tombe de ma mère, qu'il vienne, dit le prince, et je lui pardonnerai.

Alors, deux ou trois hommes s'élancèrent à cheval et vinrent me chercher au galop.

Je montai sur un des chevaux, et, un quart d'heure après, j'étais près du prince.

Si je l'avais permis, je crois que le digne seigneur m'eût embrassé.

Il voulut m'expliquer la chose ; mais, comme il n'y avait pas de temps à perdre, attendu que, vu le froid croissant, la glace épaississait d'une ligne par minute :

– Je sais, mon prince, je sais, lui dis-je.

Et je m'élançai du haut de la berge, je perçai la glace avec ma tête et reparus vingt pas plus loin.

En moins d'un quart d'heure, j'avais trois fois renouvelé la même expérience, à la grande satisfaction du prince et au grand ébahissement des spectateurs.

Je voulus recommencer une quatrième fois, quoique j'eusse la tête en sang ; mais le prince me cria :

– C'est bien, c'est bien ! assez pour aujourd'hui ; je te rends mes bonnes grâces et je te fais chef de la meute des chiens courants.

Et, en outre, il daigna me faire gratifier de vingt-cinq roubles, m'ordonna de le suivre dans toutes ses chasses, me fit présent de sa livrée, me nomma, quelque temps après, commandant en chef de ses meutes et me maria avec une femme de chambre que, dans un moment de distraction, il avait honoré de ses bontés.

Depuis lors, je restai toujours dans ses bonnes grâces et puis me vanter d'avoir été son plus affectionné serviteur.

L'année suivante, la grâce de Dieu me permit de rendre un grand service au feu prince, service qui acheva de me faire bien venir de lui.

À vingt verstes de Niskevo, de l'autre côté de la forêt d'Undol, existe le village de Zabor. Là logeait, à cette époque, un nommé Solmime, caporal en retraite. Il avait été libéré du service en raison de son âge et de quelques blessures reçues, dans l'année 1799, à la suite de Souvarov.

Il vivait donc au village de Zabor avec sa jeune femme, qu'il avait amenée de la Lituanie et qui était si belle, que l'on disait que, par toute la Russie, grande ou petite, on ne trouverait pas sa pareille.

Or, comme le prince Alexis était aussi fin connaisseur en femmes qu'en chiens et en chevaux, il était tout naturel que la femme du caporal Solmime attirât ses augustes regards.

Il voulut d'abord – car c'était un homme plein de bonnes

manières que le feu prince –, il voulut d'abord l'attirer au château de Groubenski sous quelque prétexte honnête et avouable ; mais elle s'y refusa sans détour, et, quant à son mari, il se fâcha et menaça, en jurant, ou d'aller se plaindre à notre petit père l'empereur de l'affront qu'on lui préparait, ou, ce qui serait plus court encore, de tuer le prince de sa propre main.

Un jour – c'était en été, je m'en souviens –, nous allâmes chasser dans la forêt d'Undol, et, après avoir forcé une douzaine de renards, nous fîmes halte près de Zabor.

Le prince était triste et se tenait à l'écart ; ni la vue du gibier couché sur le gazon, ni les cinq ou six verres de vodka qu'il daigna boire ne purent le distraire des soucis qui l'obsédaient. Il fixait sur le village de Zabor des yeux si ardents, qu'on eût dit qu'il voulait l'incendier.

– Que m'importe votre gibier ? dit-il enfin en se tournant vers nous. Ce n'est pas ce gibier-là qui me manque... Ah ! que ne donnerais-je pas à celui qui m'amènerait la biche qui se cache dans le village là-bas !

Et, d'un geste désespéré, le pauvre prince montrait Zabor.

À peine lui eus-je entendu formuler ce désir, que je sautai à cheval et que je piquai des deux.

Arrivé à la maison de Solmime, je vis, par-dessus une haie, sa femme qui se promenait dans son jardin en cueillant des framboises. Franchir la haie d'un bond, saisir la belle à bras-le-corps, la mettre devant moi sur la selle, fut l'affaire d'un instant. Je gagnai au triple galop l'endroit où se trouvait le prince, et je déposai à ses pieds la femme après laquelle il daignait soupirer.

– Et maintenant, lui dis-je, que Votre Seigneurie se réjouisse ; je tenais à lui montrer que j'étais un dévoué serviteur.

Tout à coup, nous voyons accourir le mari ; il était tellement furieux, qu'aveuglé par la colère, il fallit écraser le prince sous les pieds de son cheval.

Je ne saurais dire précisément comment les choses se passèrent. Je me souviens seulement que l'affaire fut chaude, et que le caporal resta sur le carreau. Quant à la belle petite Lituanienne, elle vécut désormais à Groubenski, dans un pavillon retiré d'où elle ne sortit, trois ans plus tard, que pour se faire tondre et entrer religieuse au monastère de Zimorag. Le prince Alexis, qui avait la main toujours ouverte, dota magnifiquement le couvent, y fit construire une église, et y attacha, à titre d'offrande, cent déciatines de terre.

C'était une excellente femme que cette Lituanienne : le Seigneur lui donne sa part du royaume céleste ! Tant qu'elle vécut au château, elle sut toujours calmer les emportements du prince. Aussitôt qu'elle le voyait entrer en colère contre quelqu'un de ses moujiks, elle savait intervenir à temps et d'une façon si efficace, qu'elle sauva plus d'un coupable de la bastonnade qui l'attendait. Aussi, lorsque arriva sa mort, y eut-il nombre de personnes qui prièrent pour elle.

C'est moi qui annonçai cette mort au prince, et il en eût été certes extrêmement touché, si je n'avais eu à lui annoncer en même temps la mort d'Arabka, sa chienne favorite.

C'était la seconde fois que l'on voyait pleurer le prince.

– Ah ! ma pauvre Arabka, dit-il, je reconnaissais sa voix au milieu de celles de mille chiens, et, lorsqu'elle hurlait la nuit, te rappelles-tu, mon pauvre Jacquot, que je te faisais éveiller en te disant : « Jacquot, Arabka se plaint ; va voir s'il ne lui manque pas quelque chose, à cette chère petite bête. »

Et c'était vrai.

Si bien que le prince fit enterrer Arabka, força le pope à lui dire les prières des morts, et lui éleva un joli tombeau dont on voit encore les ruines dans le parc.

III

La foire de Makarief

– Il faut que vous sachiez, mon cher Ivan-Andréovitch, continua Jacquot sans Oreilles, qu'il y avait autrefois, à Makarief, une foire magnifique qui, depuis, par le bon plaisir de notre père le czar, fut transportée à Nijni-Novgorod, et qu'à cette foire se rendaient non seulement les gens des environs, mais encore des marchands des pays voisins et même des contrées les plus éloignées : les Chinois y venaient vendre leurs thés ; les Kalmouks et les Tatars, leurs bestiaux ; les Persans, leurs tapis et leurs turquoises ; si bien qu'au plus fort de la foire, on pouvait compter comme trois ou quatre cent mille hommes à Makarief.

Pour entretenir le bon ordre, il venait ici, de Nijni, de Kazan et même de Saratof, des commissaires avec des régiments de dragons ; cependant toute l'autorité et toute la force étaient au prince Alexis.

La foire s'ouvrait le neuvième vendredi après la Pentecôte. Dès le grand matin, tout était en mouvement comme dans une fourmilière ; chacun se montrait paré de ses habits de fête, se poudrait, montait à cheval ou en voiture. Lorsque tout était prêt, arrivait un sous-intendant ; – cet emploi était confié, d'habitude, à quelque petit noble ruiné. – Il se rendait directement chez le prince pour l'avertir qu'il était temps d'ouvrir la foire. Le prince nous faisait ordonner alors de nous mettre tous en rang, et, quand on lui disait que nous attendions ses ordres, il paraissait sur le perron en tenue de gala : habit rouge vermeil tout brodé d'or, gilet de brocart glacé à boutons d'argent ; perruque poudrée, chapeau à trois cornes, culotte courte et épée au côté. Il était suivi, outre nous autres, d'une centaine de petits nobles de connaissance et de pages, tous en habits de soie et en perruque. La princesse Marfa-Petrovna, vêtue d'une robe à la Pompadour richement brodée d'argent, à bordures cramoisies, les cheveux relevés en arrière et poudrés, le cou et les épaules littéralement couverts de pierres précieuses, paraissait sur le perron, suivie de ses femmes, toutes en robes de soie et poudrées, et de ses commensales, mises comme des princesses.

Il faut ici vous dire ce que c'était que les *commensales* : c'était une réunion des plus jolies esclaves du prince, qui lui formaient un harem ni plus ni moins qu'au Grand Sultan ; dès qu'une fille de paysan avait été la maîtresse du prince, son avenir était assuré ; elle avait une dot de mille roubles, soit pour épouser l'un de nous, soit pour entrer dans un couvent ; si elle aimait mieux rester au château avec ses compagnes, elle y restait ; mais, dans ce cas, elle était soumise à l'inspection de deux vieilles coquines, nommées l'une Vasilika et l'autre Ouliachka : c'étaient, comme laideur, deux museaux abominables, et, comme force, deux drôlesses capables de lutter avec les plus robustes d'entre nous. Lorsqu'il y avait quelque correction à administrer au harem, on pouvait s'en rapporter à elles pour frapper : elles y allaient, dans cet exercice des verges, avec toute la haine qu'a ce qui est laid pour ce qui est beau, ce qui est vieux pour ce qui est jeune.

Derrière les commensales, se tenaient les servantes, vêtues de casaquins brodés d'or et de petits bonnets de martre.

– En route ! disait le prince.

Et le cortège se mettait en chemin.

Cinquante cavaliers ouvraient la marche ; leur costume se composait d'une tunique de drap rouge, d'un pantalon bleu de ciel à bande et à ceinture d'argent, bottes jaunes, perruque poudrée et toque jaune avec la plume du même rouge que la tunique.

Derrière les cavaliers, venaient les compagnies des veneurs, des piqueurs, des écuyers, des valets de chiens ; tout cela divisé en trois escadrons : les premiers vêtus d'habits rouges et montés sur des chevaux bruns ; les seconds vêtus d'habits verts et montés sur des chevaux bai brun ; les troisièmes, enfin, vêtus d'habits bleus et montés sur des chevaux gris.

Puis venaient les palefreniers en habit couleur de framboise, avec des casquettes jaunes ornées de plumes de la même couleur que les habits, portant des écharpes d'or avec une corne d'argent brodée dessus.

Enfin, après les palefreniers, marchaient les résidents et les connaissances de la petite noblesse, montés tous sur des chevaux du prince, chacun mis selon ses moyens, mais toujours le mieux possible.

Alors venait, à une petite distance, le prince Alexis, monté dans un carrosse tout doré, traîné par six chevaux blancs dont les queues et les crinières étaient teintes en noir ; derrière le carrosse, étaient quatre heiduques ; six coureurs suivaient à pied avec leur chapeau à plumes, leurs culottes blanches, leurs souliers de satin et leur canne d'argent.

Puis arrivaient les nègres en longs habits de satin rouge foncé, ceintures d'or, ayant au cou une chaîne d'argent et sur la tête un bonnet rouge.

Après eux, s'avançait la princesse Marfa dans un autre carrosse non moins riche que le premier et traîné par des chevaux non moins beaux que ceux du prince ; tout autour de ce carrosse, sautillaient une douzaine de coureurs avec des tuniques rouge et or et tout le reste du costume blanc et argent ; ils avaient de grandes perruques poudrées et tenaient à la main leur bonnet, qui ne pouvait entrer sur leur tête.

La princesse était suivie d'une quarantaine de carrosses à quatre chevaux ; ces quarante carrosses contenaient les femmes de la suite de la princesse, et derrière chacun de ces carrosses, se tenaient deux laquais en tunique jaune.

Arrivé au bord du fleuve, tout cela s'embarquait sur des bacs préparés à l'avance et garnis de velours rouge, sur lequel les chevaux piétinaient comme sur un gazon, et les voitures roulaient comme sur un pavé ; puis on abordait à l'autre rive ; on se rendait au couvent, on y entendait la messe, on faisait une procession autour de l'église, et l'on se rendait sur le champ de foire pour bénir les bannières des différentes corporations. De ses propres mains, le prince présentait celle de la ville à l'archimandrite ; la musique jouait *la Gloire du Seigneur de Sion* ; la mousqueterie pétillait, l'artifice tonnait. L'archimandrite jetait quelques gouttes d'eau bénite sur la bannière, le prince la hissait au haut du mât, et alors, au milieu des détonations de l'artillerie, des décharges de la mousqueterie, retentissait un immense hourra poussé par trois cent mille voix.

Tout ce bruit voulait dire que la foire était ouverte, et que, de ce moment, il était permis de vendre. Si quelque marchand malappris se fût avisé d'ouvrir sa boutique avant ce signal sacramentel, le prince Alexis n'eût point manqué de le faire rosser d'importance et eût fait jeter à l'eau ou au feu toutes ses marchandises.

Le prince se rendait ensuite avec son cortège chez l'archi-mandrite, qui l'invitait à dîner, tandis que le peuple de Makarief et des villages environnants se portait en foule sur un grand emplacement avoisinant la foire et sur lequel des tables étaient dressées pour un banquet.

Le prince donnait en effet, ce jour-là, un banquet à cinq ou six mille convives ; trois cents tonneaux de vin et cent barils d'eau-de-vie étaient mis à la disposition du peuple, lequel n'avait d'autre consigne que de boire et manger à bouche que veux-tu ; aussi on buvait et on mangeait si bien, que c'était une mauvaise année, celle où une cinquantaine d'ivrognes ne restaient pas morts sur place. Ce jour-là, personne n'avait le droit d'inquiéter un ivrogne, quelque lieu qu'il eût choisi pour cuver son vin : si, couché en travers du chemin, il barrait le passage à votre voiture, il fallait détourner votre voiture au risque de verser dans le fossé ; quant aux piétons, ils enjambaient par-dessus le corps de ce digne fils de Noé ; mais défense à quiconque de le toucher du bout du doigt, et cette défense était faite pour chacun, quel que fût son rang, et le prince, pour donner le bon exemple, s'y conformait le premier.

Le lendemain, le prince donnait une fête au château de Groubenski ; il y invitait tous les grands seigneurs du voisinage, qui s'y rendaient chacun avec une suite nombreuse ; les principaux marchands de la ville et les notables y étaient également conviés.

Dans les mauvaises années, le nombre des invités à cette fête était de mille à quinze cents ; dans les bonnes années, je l'ai vu monter jusqu'à trois mille.

C'était sur la pelouse, derrière le château, que le banquet des petites gens était préparé, à l'instar de celui de la veille ; il y avait la même abondance de vivres et de boissons ; à peine si l'on s'entendait parler au milieu de la musique, des chants, des détonations d'armes à feu. Le soir, on dansait partout à la lueur des torches ; on faisait venir au bal toutes les femmes et toutes les filles que l'on pouvait trouver à la foire et aux environs, et vous pensez bien que, la chair étant faible, il était difficile de sortir d'une pareille fête sans avoir péché peu ou prou. Quand les feux de joie s'éteignaient, le prince, en compagnie de quelques intimes, se retirait dans les pavillons, et nous autres, avec les petits nobles, nous continuions nos ébats jusqu'au jour.

Et, pendant toute la durée de la foire, c'est-à-dire pendant six semaines, c'était une suite non interrompue de fêtes et de plaisirs.

Pour s'assurer par lui-même que tout se passait en bon ordre, le prince Alexis daignait visiter la foire tous les jours en personne ; gare à ceux qu'il trouvait en défaut, le châtiment ne se faisait pas attendre ! C'était un homme qui n'aimait pas à laisser traîner les choses en longueur ; aussitôt que le délit était constaté, l'enquête était faite, et, l'enquête faite, le jugement était rendu ; il n'était pas besoin avec lui ni de procès-verbaux ni de paperasses ; aussi tous les marchands l'avaient pris en grande admiration et l'appelaient leur *petit père* et leur *bienfaiteur* ; eux non plus ne professaient pas une grande estime à l'égard des papiers et des grimoires ; la justice prompte et expéditive du prince leur plaisait d'autant plus que, tout en leur épargnant un temps précieux, surtout pendant la foire, elle les sauvait des mains des commissaires, des assesseurs et d'autres justiciers. Ils savaient bien une chose, les dignes marchands, c'est que, s'ils avaient affaire à tous les gens de loi, non seulement les bénéfices réalisés pendant la foire passeraient entre leurs mains, mais encore qu'ils verraient bientôt leurs économies antérieures s'enfuir à jamais du sac de cuir qui leur servait d'abri.

La manière dont le prince rendait la justice était des plus simples. Il faisait comparaître devant lui le délinquant, et, le délit constaté, celui qui l'avait commis, fût-il noble, marchand ou moujik, était traité avec la même impartialité. Le prince commençait par l'admonester, et, dans l'admonestation, il ne lui épargnait ni les gros mots ni les injures ; il daignait même parfois appuyer l'admonestation d'une paire de soufflets ou d'un certain nombre de coups de cravache données de sa propre main ; puis il faisait conduire le coupable à l'écurie, où il lui était compté un nombre plus ou moins considérable de coups de fouet ou de verges, ne se réglant ni sur la position ni sur le rang, mais seulement sur le délit ; après quoi, le coupable se rendait chez le prince pour le remercier de sa bonté et de la peine qu'avait prise sa paternelle sollicitude.

Le prince lui faisait un petit discours approprié à la circonstance, lui donnait sa main à baiser, lui faisait servir à manger et à boire, et tout finissait ainsi.

Les marchands établis en foire avaient pour consigne de vendre aussi cher qu'ils pouvaient aux riches et de les tromper de toute façon, soit sur la qualité, soit sur le poids, soit sur la mesure de la marchandise ; mais, quant aux pauvres, l'ordre le plus exprès était donné de ne leur faire aucun tort.

Une fois, le prince invita à dîner au château un marchand de Moscou qui, à chaque foire de Makarief, remportait cinq ou six mille roubles de bénéfices ; son commerce consistait surtout en soieries et en merceries.

Le dîner fini, chacun, prince et marchand, tenant sa tasse de café à la main, on engagea le dialogue suivant :

– Combien vends-tu ta levantine vermeille, Trifon-Egoritch ?

– Je la vends un grivne et quatre allines, Excellence, répondit le marchand, attendu qu'elle est de première qualité.

– C'est chez toi qu'a acheté hier la femme du pope Athanase.

– C'est possible, monseigneur ; seulement, je ne m'en souviens plus ; il me vient tant de monde dans une journée, que je ne puis me rappeler tous ceux qui viennent.

– Je te dis que la femme du pope a acheté chez toi une archine de levantine. Quel prix la lui as-tu vendue ?

– Je ne me le rappelle pas, Excellence ; d'ailleurs, il se peut qu'elle ait acheté cette levantine chez moi et que cependant ce ne soit point moi qui la lui aie vendue, mais bien quelqu'un de mes garçons de boutique.

– Que l'on m'appelle un courrier, dit le prince.

Il faut vous dire, mon cher Ivan-Andréovitch, qu'il y avait toujours près du perron une douzaine de courriers qui se tenaient à côté de leurs chevaux tout sellés pour être prêts à partir aussitôt que le prince leur en donnerait l'ordre.

Un courrier entra.

Le marchand, consterné, croyait qu'il allait être conduit à l'écurie ; mais il n'en était rien.

Le prince Alexis dit au courrier :

– Tu vas te rendre avec ce marchand à sa boutique de la foire, et là, il te remettra un coupon de sa meilleure levantine ; aussitôt tu te rendras chez le pope Athanase, tu demanderas sa femme Visigha, et tu lui diras : « Ma petite mère, voici un coupon de levantine que vous envoie en cadeau le marchand de Moscou Trifon-Egoritch Tchourine ; il vous a vendu hier un prix trop élevé, et, de lui-même, il vous prie d'accepter ce dédommagement. » Quant à toi, Trifon-

Egoritch Tchourine, tu feras bien de surveiller un peu mieux tes commis, afin qu'ils ne fassent plus de tort aux gens pauvres, sinon je t'arrangerai à ma manière ; que cela n'aille pas plus loin pour cette fois ; mais prends-y garde ! J'aurai l'œil sur toi, et, si tu recommences, c'est moi qui me ferai ton commis et qui me chargerai de ta vente.

Huit jours s'étaient à peine écoulés, que le prince apprit que Tchourine avait trompé un pauvre paysan sur la mesure d'une pièce de basin.

Il se fit donner un cheval et se rendit à la foire à l'instant même.

– Eh bien, Trifon-Egoritch, dit-il au marchand, tu as oublié, à ce qu'il paraît, ma recommandation ; tu as la mémoire mauvaise, mon ami ; heureusement que moi, je l'ai bonne. Tu sais ce qui est convenu ? Je viens m'établir chez toi comme ton commis... Et vous autres, artistes en archines, hâtez-vous de déguerpir d'ici, et bien vite ! À partir de ce moment, c'est moi qui suis tout à la fois commis et marchand.

Tchourine savait qu'il n'y avait pas à plaisanter avec le prince. Il quitta sa boutique à l'instant même, suivi de tous ses commis.

Le prince Alexis se plaça derrière le comptoir et se mit à crier de sa voix la plus éclatante :

– Vous tous, gens honnêtes et chers acheteurs, nous vous prions bien instamment d'honorer notre boutique de votre confiance. Nous avons des marchandises pour tous les goûts, des satins superbes, des basins d'Angleterre, des nankins de la Chine ; nous avons toute sorte d'attifailles pour les dames, des bas, des châles, des batistes à la Pompadour ; dites ce que vous désirez, et nous vous vendrons à juste prix et à bonne mesure. Nous vendons nos marchandises au comptant ; mais si quelqu'un n'a pas d'argent, nous lui ferons crédit. S'il paye plus tard, tant mieux ! mais, s'il oublie de payer, nous ne le poursuivrons pas.

Tu comprends, mon petit père, qu'avec une pareille annonce, tout le monde se porta à la boutique du prince. Lui, derrière son comptoir, faisait face à tout, ne donnant jamais quatre archines pour cinq, mais en donnant cinq pour quatre. De cette façon, au bout de trois heures, il avait vendu tout ce que contenait la boutique de Tchourine. Il se trouva seulement que l'argent comptant n'abondait point, attendu qu'il y avait moins d'acheteurs au comptant qu'à crédit.

Quand ce fut fini, le prince appela Tchourine.

– Tiens, lui dit-il, voilà ta boutique ; je te la rends propre et bien déblayée. Dans ce tiroir, est l'argent comptant, dans ce registre sont les noms et les adresses de ceux qui ont acheté à crédit. C'est à toi de faire rentrer l'argent le plus tôt possible. J'espère que tu n'oublieras ni la femme à la levantine, ni le paysan au basin. Maintenant, allons dîner au château, quoique en bonne conscience ce fût à toi de m'inviter ; car tu me dois un fameux pot-de-vin pour avoir si bien arrangé tes affaires, et t'avoir fait finir ta foire avant tout le monde. Mais je veux bien t'en tenir quitte, et c'est moi qui te régale aujourd'hui. Viens !

Tchourine ne se pressait pas d'obéir. Il était visiblement inquiet.

– Oh ! ne crains rien, patron, dit le prince Alexis, et viens en toute confiance. Tu comprends que, s'il me prenait l'envie de te donner une petite volée de knout, je le ferais aussi bien ici qu'à Niskevo. Viens donc en toute tranquillité.

Il n'y avait rien à redire à un discours si net. Rassuré par ces paroles, Tchourine s'assit donc à côté du prince dans son carrosse.

Au dîner, Tchourine fut mis à la place d'honneur, et, pendant tout le repas, le prince se tint debout derrière sa chaise, lui servant les meilleurs morceaux, lui versant les meilleurs vins et l'appelant *patron* gros comme le bras. Ce n'est pas tout : en prenant congé du prince, le marchand reçut de lui un cadeau qui témoignait de sa haute bienveillance : il lui donna un petit chien et une petite chienne de la race de sa bien-aimée Arabka.

À partir de ce moment, Tchourine ne parut plus ni au château ni à Makarief, et, l'année suivante, on dit, pour expliquer son absence, que la mauvaise vente qu'il avait faite à la dernière foire avait dérangé ses affaires de façon à ce qu'il ne s'en remît jamais.

Le prince Alexis aimait beaucoup ceux qu'il savait agir avec lui hardiment et franchement. Une fois, il se promenait à la foire tout seul et sans aucun apparat, lorsqu'il rencontra un marchand qui lui avait désobéi en ouvrant sa boutique sur un autre emplacement que celui qui lui était désigné. La rencontre avait lieu dans un endroit écarté, derrière les baraques, sur une large plaine de sable au bout de laquelle s'étendait un petit lac au fond bien uni et vers lequel on descendait par une pente douce.

Le prince aperçut et reconnut son délinquant, grand garçon de vingt-cinq à trente ans, qui avait la tête de plus que lui.

– Viens ici, mon gaillard, lui dit-il.

Mais le marchand, bien convaincu qu'il y allait de sa peau, ne bougea point de place, et, se tenant à la distance d'une quarantaine de pas, il dit au prince :

– Pas si bête, mon petit père ! Je sais de quoi il retourne ; je ne me soucie pas le moins du monde de faire connaissance avec votre canne.

– Ah ! gredin de boutiquier, dit le prince, c'est comme cela que tu t'empresses de m'obéir !

Et il s'élança sur le marchand en brandissant sa canne.

Le marchand comprenait que son dos courait un danger d'autant plus grand, que le prince était dans un violent accès de colère. Il ne perdit donc pas son temps à attendre son adversaire : il se sauva de toute la vitesse de ses jambes du côté du lac. Le sable mouvant de la plaine le gênait beaucoup dans sa fuite ; mais, de même qu'il gênait le marchand, il gênait le prince. Tous deux y enfonçaient jusqu'à la cheville. Le marchand, devinant que le prince, plus âgé et moins agile que lui, devait déjà être distancé, se retourne et voit qu'effectivement il a gagné sur lui.

– Bon ! se dit-il, j'ai le temps.

Et il s'assied et se débarrasse vivement de ses bottes pour être moins gêné dans sa course ; puis, ses bottes ôtées, il s'élance de nouveau vers le lac, plus rapide qu'auparavant. Le prince Alexis, en voyant cela, pense que le petit boutiquier agit fort sensément. Il s'accroupit à son tour, et, comme lui, se débarrasse de ses bottes ; puis il reprend sa course.

Le marchand continue de se diriger vers le lac ; le prince le suit de près ; le premier entre dans l'eau, le second l'imite en tout point. Le marchand s'arrête à un endroit où il a de l'eau jusqu'au cou ; mais, comme le prince a la tête de moins que lui, où le marchand n'en avait que jusqu'aux aisselles, il en a, lui, jusqu'au menton. Tous deux sont forcés de s'arrêter à vingt pas l'un de l'autre.

Alors, ne pouvant aller plus loin, le prince se remet à appeler le marchand.

– Viens ici, lui dit-il, maraud ! j'ai un compte à régler avec toi.

– Non, mon petit père, non, pas si bête ! lui répond le marchand. Ce n'est pas moi qui tiens à régler mon compte avec vous, c'est vous qui voulez régler le vôtre avec moi. Venez donc à moi, car je ne bougerai pas d'ici.

– Mais tu veux donc me noyer, lâche que tu es ? cria le prince.

– Je ne sais rien de ce que le bon Dieu a décidé à cet égard ; mais ce que je sais, c'est que je n'irai pas à vous.

Et ils continuèrent ainsi à discuter pendant une bonne demi-heure sans que ni l'un ni l'autre bougeât de sa place ; et, comme, malgré le beau temps l'eau était assez froide, ils commencèrent tous les deux à grelotter de tout leur corps.

– Allons ! tu es un brave garçon, dit enfin le prince, et j'aime les braves comme toi, d'autant plus que je n'en rencontre pas souvent. Je te pardonne tes fredaines ; viens au château, je t'invite à dîner.

– Bon ! vous mentez, mon petit père : ce n'est pas un dîner qui m'attend là-bas, c'est une correction.

– Je ne te toucherai pas du doigt, je t'en donne ma parole d'honneur.

– Non ; mais vous me ferez toucher par d'autres, nous connaissons cela.

– Foi de gentilhomme !

– Faites le signe de la croix.

Le prince, plongé dans l'eau jusqu'aux aisselles, fit le signe de la croix plusieurs fois de suite, jurant à chaque signe de croix par son saint patron qu'il ne serait fait au rusé marchand aucune avanie.

Complètement rassuré par les signes de croix et par les serments, le boutiquier sortit de l'eau ; le prince en fit autant, et ils se rendirent dans les meilleurs termes au château, où le prince changea d'habits et en fit changer à son convive, lui donnant des vêtements de sa propre garde-robe.

– Je suis sûr que tu m'aurais noyé si j'avais été assez fou d'aller jusqu'à toi, disait le prince à Konone-Fadeitch – c'était le nom de notre marchand – chaque fois qu'il le rencontrait.

– Je n'en sais rien, mon prince, répondait celui-ci ; j'eusse fait ce que Dieu m'eût inspiré.

C'était un fin compère que Konone-Fadeitch.

Le prince avait l'habitude de s'endormir, en été, sur un fauteuil après son dessert. À cet effet, il faisait placer son siège au seuil de la porte donnant sur le balcon. Tout le temps que durait la sieste du prince, chacun devait observer le plus rigoureux silence, et cette consigne s'étendait non seulement au personnel du château, mais encore à tous ceux qui naviguaient sur leurs bâtiments, qu'ils descendissent ou remontassent le fleuve. – Sinon, à l'écurie !

Et, pour que tous fussent avertis que le prince daignait se livrer aux douceurs du sommeil, on hissait sur le château un pavillon bleu de ciel uniquement destiné à cet usage.

Un jour qu'il reposait ainsi, il fut tiré brusquement de son sommeil par une voix qui chantait sous le balcon même.

C'était celle d'un petit noble qui, en se promenant dans le jardin, s'était oublié au point de transgresser la consigne.

Il avait bien une excuse, c'est qu'en passant devant le bâtiment des commensales, il avait été tellement excité par les œillades et les agaceries de ces dames, qui savaient par le pavillon bleu que le prince dormait, qu'il en avait perdu la tête et s'était mis à chanter à gorge déployée :

Un petit sentier traverse les champs...

Mais, comme on le comprend bien, cette excuse, il n'eût point osé la faire valoir auprès du prince.

Lorsqu'il eut compris la faute qu'il avait commise, le coupable se sauva donc à toutes jambes.

– Qui a chanté *le Petit Sentier* ? demanda le prince en se réveillant.

La valetaille à qui s'adressait cette interrogation se dispersa à l'instant même dans toutes les directions afin de se mettre à la poursuite du coupable et de s'emparer de lui, s'il était possible.

Heureusement, celui-ci, dans sa course, avait rencontré une meule de foin, y avait fait son trou, et s'y était blotti comme un lapin dans son terrier, sans avoir été vu de personne, excepté des jeunes résidentes ; mais il n'y avait pas de danger qu'elles trahissent le secret d'un homme qui subissait une persécution à cause d'elles.

– Qui a chanté *le Petit Sentier* ? s'écria pour la seconde fois le prince d'une voix impérieuse.

Et, en même temps, on entendit le bruit des meubles et des glaces qui volaient en éclats.

Les valets continuaient à courir de tous les côtés comme s'ils eussent eu le diable à leurs trousses ; mais ils ne trouvèrent pas le coupable.

– Qui a chanté la chanson ? cria une troisième fois le prince d'une voix tonnante en paraissant sur le perron, son gros fouet à la main.

Personne ne savait que lui répondre : chacun cherchait, chacun courait, et l'on n'entendait que des interrogations se croisant et demandant de la même voix menaçante : « Qui a chanté *le Petit Sentier* ? »

– Qu'on me livre à l'instant même le coupable, dit le prince, ou toutes les échines vont répondre pour sa langue !

Même recherches sans le moindre résultat.

Le prince, furieux, rugissait comme un ours attaqué par des chiens, et jurait de manière à faire fendre les rochers de la grotte et de la cascade.

Le chef des heiduques, comprenant que son dos courait un danger encore plus grand que celui des autres – car, lorsque avaient lieu ces exécutions sommaires ayant pour but de retrouver un coupable ignoré, le prince frappait de sa propre main les chefs, et ne manquait jamais d'ajouter le treizième –, le chef des heiduques, disons-nous, s'adressa au chanteur Vasko et le supplia de prendre la faute pour lui.

Vasko, sachant parfaitement ce qui allait en retourner pour lui, commença par refuser tout net.

Alors, on le supplia avec des larmes, et l'intendant lui promit toute sorte de cadeaux, plus une gratification de dix roubles argent.

Vasko devint pensif, cligna d'un œil, se gratta l'oreille ; dix roubles argent, c'était une somme, dans ce temps-là.

Mais, d'un autre côté, son échine courait de grands dangers, car le prince était fort en colère.

– Allons, dit-il enfin, séduit par la vue des roubles, j'accepte ; seulement, faites attention, vous autres : si le prince ne me punit pas de sa propre main, ne me frappez pas trop fort.

On le lui promit.

Pendant ce temps, le prince était arrivé au paroxysme de la colère.

– Toutes ces canailles de moujiks, hurlait-il, vont recevoir mille coups de fouet ; les connaissances cinq cents, et, quant aux résidentes, que l'on me fasse venir Ouliachka et Vasilika...

Alors la consternation devint générale ; personne n'osait plus souffler mot, à peine si l'on respirait.

– Que l'on m'apporte tous les fouets qu'il y a au château ! cria le prince.

– Voilà le coupable, on le tient. Hourra ! hourra ! crièrent les petits cosaques en apercevant l'intendant, suivi de quelques heiduques qui amenaient Vasko pieds et poings liés.

Le prince s'assit sur un sofa pour rendre son arrêt. On lui amena Vasko, et tout le monde attendit avec impatience le dénouement de cette terrible scène.

– C'est toi qui as chanté ? demanda le prince.

– Oui, mon prince, balbutia Vasko.

Le prince demeura quelques instants muet et le sourcil froncé.

– Tu as une belle voix ! dit-il enfin. Qu'on lui compte dix roubles et qu'on lui donne un habit neuf.

Voilà ce que c'était que le prince Alexis, bon comme le bon pain. Seulement, il aimait l'ordre et faisait observer les règlements.

IV

La fête du prince Alexis

La fête de notre cher petit père le prince Alexis tombait cinq jours après la fête de l'intercession de notre sainte Mère de Dieu, et le prince voulait que cet anniversaire fût fêté avec une grande pompe ; en conséquence, il y avait toujours des festins et des bals magnifiques. Les invités commençaient à arriver au château quinze jours ou trois semaines avant la fête, et, parmi les hôtes principaux, on remarquait d'abord les grands seigneurs des environs, puis le gouverneur de Kazan, les palatins des provinces environnantes, le général des dragons en garnison à Nijni. Il y avait des convives qui arrivaient de Moscou et même de Saint-Pétersbourg, car tous les amis du prince Alexis étaient heureux de le complimenter le jour de sa fête.

Chaque hôte principal avait au château une chambre à part. Le choix de la chambre était réglé par le rang et la situation de celui qui devait l'habiter. Un pavillon était destiné au gouverneur, un autre au général.

Quant aux petits nobles, qui arrivaient toujours pour cette fête au nombre de douze à quinze cents, on en logeait une partie dans les communs, et l'autre chez les moujiks. Ils y couchaient à terre ou sur les poêles.

La veille de la fête, il y avait service du soir, et, après le service, un dîner, mais un véritable dîner de carême. Le prince voulait éviter, tant pour lui-même que pour ses hôtes, toute occasion de commettre pendant la nuit quelque péché pouvant ternir la solennité du jour suivant et empêcher que tout le monde ne fût levé de bonne heure le lendemain matin.

Le lendemain, tout le monde se rendait chez le prince pour le féliciter ; celui-ci, en grande tenue, était assis dans le salon d'honneur, ayant à sa droite le gouverneur, et à sa gauche la princesse Marfa-Petrovna.

Les autres étaient assis selon leur rang. Les petits nobles se tenaient debout derrière ; toute la domesticité encombrait les portes.

Alors arrivait le poète que le prince entretenait uniquement pour les solennités du genre de celle qui avait lieu ce jour-là. C'était un nommé Sémione Tetich, fils d'un pope, qu'on avait envoyé à Moscou pour y étudier le métier des vers.

Le poète était nourri dans un logement à part, où il vivait tranquille ; tout son travail consistait, lorsque arrivait quelque solennité, à faire des vers ou une pastorale. À cette occasion, on l'enfermait trois semaines à l'avance dans le pigeonnier pour lui épargner toute distraction et surtout pour l'empêcher de s'enivrer.

Tetich, revêtu d'un habit de soie tout neuf et la tête couverte d'une perruque poudrée, s'arrêtait au milieu du cercle, et, après un profond salut, il dépliait son papier et lisait les vers qu'il avait faits et que tout le monde écoutait dans un profond silence. Après quoi, il s'avançait vers le prince, mettait un genou en terre, et lui présentait un papier. Le prince alors, en signe de sa haute satisfaction, lui donnait sa main à baiser, lui faisait un cadeau en argent, ordonnait qu'on lui servît à boire et à manger, tout en recommandant de veiller sur lui pour l'empêcher de mourir des suites de son intempérance ; ce qui eût été une perte, attendu qu'il eût fallu peut-être six ou huit ans pour confectionner un poète de la même force.

Tout le monde avait en outre reçu l'ordre de ne lui faire aucun mal.

Malgré cet ordre, un jour, un petit noble du prince Alexis se permit de faire une mauvaise plaisanterie au pauvre Tetich. L'ayant rencontré endormi et cuvant son vin au moment où il venait de trouver un hérisson, il s'avisa de loger l'animal entre la chemise et la peau du poète. Celui-ci, réveillé en sursaut par une vive douleur, et ne pouvant, dans son ivresse, en deviner la cause, courut comme un fou tout droit au château, en criant de toute la force de ses poumons :

– À la garde ! au voleur ! à l'assassin !

Par malheur, il se rencontra nez à nez avec le prince, lequel, apprenant la cause des clameurs du malheureux poète, daigna beaucoup rire du tour qu'on lui avait joué. Mais, en même temps, après avoir fait donner au petit noble une bonne correction, il ordonna que celui-ci portât à son tour, pendant une journée tout entière, le hérisson en question entre sa chemise et sa peau.

Après le départ de Tetich, on servait le thé, mais seulement aux grands personnages, parce que, anciennement, le thé était un régal encore fort rare dont les grands personnages connaissaient seuls l'usage. Les petits nobles n'eussent pas su comment s'y prendre pour le sucrer et le boire.

Puis, le thé pris, on faisait venir les fous. Il s'empressaient alors de faire mille tours de leur métier. Seulement, lorsqu'ils avaient bien amusé tout le monde et qu'on était las d'eux, on les mettait à la porte à coups de pied au derrière ; ce qui établissait la différence que l'on faisait entre eux et le poète.

Lorsque l'on annonçait le dîner, chacun se rendait dans la salle à manger selon son rang. Un bout de table était occupé par notre petite mère Marfa-Petrovna et les dames ; l'autre, par notre petit père Alexis et les seigneurs. Trois fois, pendant le dîner, on buvait à la santé du prince, et, à chaque santé, les assistants poussaient de formidables hourras, les canons tonnaient, les trompettes sonnaient, les chanteurs entonnaient en chœur une cantate, les nains grimaçaient, les nègres dansaient, et les convives brisaient avec fracas toute la faïence ou toute la verrerie qui leur tombait sous la main, afin de souhaiter à l'amphitryon une longue et heureuse vie. C'était alors que l'ours favori du prince, le successeur de celui qui m'avait mangé une oreille, se levait, excité par ce vacarme, se dressait sur ses pattes de derrière, et commençait une danse où il déployait certainement plus de grâce, d'adresse et de légèreté que n'eussent pu le faire les trois quarts des convives, alourdis par les nombreuses libations qu'ils avaient faites.

À sept heures, commençait le bal. Il s'ouvrait par une polonaise que dansait la princesse Marfa avec le gouverneur.

À dix heures, le bal s'interrompait pour faire place à la pastorale. Tout le monde passait dans la grande galerie. Au milieu du bruit que causait ce déplacement, les musiciens exécutaient des airs italiens qui couvraient tant bien que mal le tapage.

Les spectateurs placés, la toile se levait.

On voyait alors l'héroïne sortir de derrière un arbre. C'était le plus souvent, et tant qu'elle fut jeune, la belle Douniaka, fille du tisserand Egor, la première beauté que l'on citât, non seulement à Makarief, mais encore à vingt lieues à la ronde. Ses cheveux, relevés en arrière, étaient poudrés et ornés de fleurs. Son charmant visage était rendu plus agaçant encore par deux ou trois mouches artistement disposées. Elle était vêtue d'une magnifique robe de satin bleu et tenait à la main une houlette enjolivée de rubans roses.

Après une révérence adressée à toute la salle, elle s'avançait vers le prince et lui faisait un second compliment en vers, œuvre de Sémione Tetich.

Quand Douniaka avait récité ces vers, paraissait sa compagne Paraka, habillée en berger, portant veste, gilet et culotte de satin avec des cheveux poudrés. Alors ils se mettaient à s'entretenir en vers, d'amour et de moutons. Puis berger et bergère s'asseyaient l'un près de l'autre et se caressaient de si tendre et si amoureuse façon, que les vieillards eux-mêmes en frissonnaient de plaisir, tandis que les jeunes s'en pâmaient d'aise.

Tetich avait eu d'abord grand-peine à apprendre aux deux donzelles à réciter ses vers d'une façon convenable ; comme elles ne savaient lire ni l'une ni l'autre et qu'elles étaient toutes deux fort paresseuses, elles prétendaient ne pas comprendre les vers que leur soufflait le poète, et, par conséquent, ne pouvoir les retenir ; mais le prince Alexis avait fait appeler Vasilika et Ouliachka ; les deux mégères étaient venues chacune avec une poignée de verges, elles avaient troussé les jupes des deux récalcitrantes, qui, le lendemain, comme par miracle, savaient leurs rôles à n'avoir pas besoin qu'on leur en soufflât un mot.

Tout le monde était, d'ordinaire, fort réjoui par la pastorale, et le prince Alexis faisait alors appeler Tetich pour qu'il recueillît les compliments qu'il avait mérités ; mais, d'habitude, Tetich était hors d'état de paraître devant le prince : il cuvait son vin ; ce qui n'empêchait point qu'il ne fournît chaque année une fort belle pastorale. Dieu lui donne une part dans son royaume !

À une heure, on servait le souper. Au souper, il n'y avait guère plus de soixante plats, sous le prétexte qu'il n'est pas sain de beaucoup manger la nuit ; mais, en revanche, les vins et les liqueurs étaient servis à profusion ; chacun devait vider son verre aussitôt qu'il était rempli, ou le prince faisait verser les vins et les liqueurs sur la tête et sur les habits de ceux qui ne buvaient pas d'une façon convenable.

Après le souper, chacun allait où bon lui semblait.

Quant au prince Alexis, accompagné de quinze ou vingt de ses amis les plus intimes, il se retirait dans un des pavillons du jardin. Leur premier soin était de se débarrasser de tout le superflu de leurs habillements ; puis le prince faisait remplir une grande coupe d'or de vin de Chypre, et, après l'avoir vidée d'un trait, il la passait à l'un de ses amis, qui la passait à un autre, et ainsi de suite.

Puis, quand le dernier des amis du prince avait vidé la coupe :

– Que l'on nous fasse descendre l'Olympe, disait le prince.

Aussitôt entraient une vingtaine de résidentes portant toutes des costumes de déesses païennes, depuis les neuf Muses jusqu'aux trois Grâces ; toutes étaient ravissantes de beauté et de jeunesse.

Alors c'étaient des danses à ravir les yeux, des chants à épanouir les âmes ; et, quand le prince voyait que tous ses convives en étaient arrivés au point qu'il désirait :

– Romains, criait-il, enlevez vos Sabines !

Et chacun, s'emparant de la Sabine qu'il trouvait à sa convenance, s'empressait de disparaître avec elle.

Et c'est ainsi, mon cher Ivan-Andréovitch, que se terminait la fête du prince.

V

L'anniversaire du 14 octobre

– Mais la princesse Varvara, son pavillon rose, son coffre noir et son inscription sur la muraille ? dis-je à Jacquot sans Oreilles. Il me semble que nous oublions un peu tout cela.

– Non, non ; nous y arrivons, au contraire, Ivan-Andréovitch ; et je te raconte les choses, non pas dans l'ordre où elles sont arrivées, mais dans l'ordre où je les ai apprises.

Donc, le prince Alexis, comme tu l'as pu voir, raffolait de la chasse ; mais celle qu'il aimait par-dessus toutes les autres était la chasse à l'ours. Dans ce temps-là, les forêts étaient moins gaspillées qu'aujourd'hui, et le gibier de toute espèce y abondait. Nous faisions lever ordinairement chaque hiver une trentaine d'ours au moins.

Voici comment la chose se passait.

Aussitôt que l'hiver commençait à se faire sentir, le prince envoyait une quarantaine d'hommes dans les forêts d'alentour afin de découvrir les gîtes des ours. Tous les paysans de la principauté et même ceux des seigneuries voisines étaient prévenus de leur côté, et ils ne manquaient jamais de venir au château faire part de leurs découvertes ; car ils savaient que le prince payait généreusement ceux qui, par un bon avis, lui procuraient le plaisir de sa chasse favorite.

Il attaquait son ours corps à corps et ne souffrait jamais qu'un autre que lui l'abattît. Tout le monde, une fois pour toutes, avait reçu de lui cette consigne :

– Ne tombez sur l'ours que si, après m'avoir renversé par terre, il commence à me dévorer ; sinon, sur votre tête, n'y touchez pas et laissez-moi faire.

C'était, non pas avec le fusil ou la lance, mais simplement avec le couteau et l'épieu qu'il abattait l'ours ; et je puis vous assurer sur ma parole, mon petit père, qu'il en a abattu de sa propre main plus de cent cinquante. Souvent, il se trouva dans des positions très critiques ; deux fois, il pensa rester sur la place. La première fois, il eut une cuisse à moitié dévorée ; la seconde fois, l'ours le prit à bras-le-corps et lui fit craquer les os ; cette fois, il appela à son secours ; ce fut la seule. On le ramena évanoui dans un traîneau, et il fut tellement malade, qu'il faillit en mourir. Mais Dieu le prit en pitié, et il en guérit.

Lorsque nous partions pour nos chasses éloignées et qui avaient lieu en automne, nous restions quelquefois six semaines durant hors du château. Alors le prince emmenait avec lui toute sa meute et toute sa suite, quatre cents piqueurs avec mille chiens courants, cent cinquante valets de chenil et deux ou trois cents petits nobles. Parfois nous rencontrions en route deux ou trois seigneurs aussi riches que le prince ; de sorte que nous semblions une armée qui va en guerre, et non des gentilshommes qui vont en chasse.

De temps à autre, nous faisions une halte chez Peter Alexiovitch Mouransky. C'était un seigneur fort riche, mais de piteux caractère ; cela tenait à ce qu'il était d'une constitution maladive et tout cousu de rhumatismes qui ne lui permettaient de marcher qu'avec deux béquilles ; ce qui ne l'empêchait pas, quand il entendait les cors, les cris et tout le tapage que nous menions, de venir au-devant de nous avec ses deux béquilles jusque sur le perron.

Une fois – écoute-moi bien, mon petit père, car nous approchons d'un terrible événement ! – une fois, nous arrivâmes chez ce seigneur par un temps épouvantable. Il pleuvait à verse et il ventait à jeter un cosaque à bas de son cheval. Impossible de partir par un temps pareil, et, au lieu de faire une simple halte chez Mouransky, nous dûmes y passer la nuit. Chacun se coucha comme il put. Mouransky voulut céder sa chambre à son ami le prince Alexis, qui s'y refusa constamment ; de sorte qu'on lui donna un pavillon isolé qui n'avait pas été habité depuis longtemps et qui ne contenait que deux chambres. Le prince, naturellement, prit celle où il y avait un lit, et moi, je couchai dans l'autre sur un tapis que l'on m'étendit à terre.

J'avais remarqué que le prince avait été particulièrement triste pendant toute la journée ; ce qui lui arrivait, du reste, depuis quelques années à tous les anniversaires du 14 octobre.

Le matin, il était descendu de cheval en passant devant une petite église ; il y était entré et y avait fait sa prière avec force signes de croix et de grands soupirs.

Le prince se coucha comme d'habitude, mais sans parler. Deux ou trois fois seulement, il me demanda.

– Tu couches dans la chambre à côté, n'est-ce pas, Jacquot ?

Et, à chaque fois, je lui répondis :

– Oui, mon prince.

Au fur et à mesure que nous avancions vers minuit, l'ouragan augmentait, le vent s'engouffrait dans les cheminées et sifflait dans les corridors à vous serrer l'âme ; on eût dit des lamentations et des sanglots ; les contrevents frappaient avec fracas contre les murs, et les branches des arbres faisaient entendre de temps en temps des craquements qui donnaient le frisson.

Minuit sonna ; où ? je n'en sais rien ; on eût dit que l'horloge était dans notre chambre.

Tout à coup, j'entendis la voix du prince Alexis, non plus comme d'habitude hautaine et moqueuse, mais douce et presque suppliante.

– Dors-tu, mon cher Jacquot ? me demanda-t-il.

– Non, je ne dors pas, mon petit père. Que désirez-vous ? lui demandai-je.

– Je ne sais ce qui me prend, dit le prince, mais j'ai peur.

Je crus avoir mal entendu ; le prince avoir peur ? C'était impossible ; lui qui ne craignait, comme on dit, ni Dieu ni diable.

– Vous dites que vous avez peur ? demandai-je.

– Oui, répondit le prince d'une voix presque éteinte.

– Et de quoi ?

– Entends-tu ces hurlements ?

– Ces sifflements, vous voulez dire, mon petit père ? C'est le vent qui les produit.

– Non, non, Jacquot, dit le prince, ce n'est pas le vent, c'est autre chose.

– Qu'est-ce donc, alors ?

– Écoute, écoute.

J'écoutai.

– Eh ! oui, oui, dis-je, il y a aussi vos chiens qui hurlent.

– Mais, au milieu des hurlements, en entends-tu un que nous ne devrions pas entendre ?

– Comment ! un que nous ne devrions pas entendre ?

– Oui, celui de ma pauvre Arabka !

– Tu deviens fou, mon cher petit père ! lui dis-je, commençant à frissonner moi-même ; comment veux-tu que ce soit Arabka qui hurle, puisque voilà plus de dix ans qu'elle est morte ?

– C'est elle, c'est elle, dit le prince ; quand elle vivait, j'eusse reconnu sa voix entre mille ; à plus forte raison maintenant qu'elle est morte. Tiens, l'entends-tu ? ajouta le prince. Elle quitte le chenil et se rapproche de nous. L'entends-tu ? elle n'est plus qu'à cinq cents pas ; l'entends-tu ? elle n'est plus qu'à deux cents ; elle va venir à notre porte.

En effet, un hurlement isolé se rapprochait de plus en plus.

– Il est possible, en effet, cher petit père, qu'un de tes chiens se soit sauvé du chenil et te suive à la piste. Tu daignes quelquefois leur donner à manger toi-même.

– C'est Arabka, te dis-je ! Ah ! tu ne sais pas, toi, tout ce qui se passe de surnaturel en ce monde !

– Mais que peut vous vouloir Arabka, mon prince ? Vous lui avez fait faire un joli petit tombeau ; vous lui avez fait dire de belles prières.

– Tiens, quand je t'avais dit qu'elle viendrait à la porte ! l'entends-tu ? l'entends-tu ?

En effet, un hurlement douloureux, prolongé, lamentable se faisait entendre au seuil du pavillon.

– Oui, oui, dit le prince, tu viens m'annoncer ma fin prochaine, ma pauvre Arabka ?... Ah ! c'est terrible ! Mon Dieu, mon Dieu ! aie pitié de l'âme de ton serviteur !

Quoique très ému moi-même, je voulus prouver au prince que ce n'était point Arabka, mais quelque autre chien de le meute qui avait quitté le chenil. En conséquence, je me levai au milieu de l'obscurité et me dirigeai vers la porte.

Le prince m'entendit.

– Que fais-tu, Jacquot ? me dit-il, que fais-tu ? N'ouvre pas la porte, garde-t'en bien ! Si tu ouvres la porte, elle entrera.

Il était trop tard déjà : la porte était ouverte. À mon grand étonnement, je ne vis aucun chien, ni sur le seuil ni aux environs du pavillon.

Mais j'entendis la voix pleine d'angoisse du prince.

– Tu ne m'as pas écouté, Jacquot, tu as ouvert la porte, et voilà Arabka qui entre dans ma chambre. – Va-t'en, vilaine bête, va-t'en ! n'approche pas de mon lit ! Ah ! elle me lèche les mains avec sa langue de glace, le visage... À l'aide ! au secours ! je me meurs !

Et la voix du prince s'éteignit dans une espèce de râle.

J'étais bien sûr de n'avoir laissé passer aucun chien. Je refermai vivement la porte et courus au prince tout en allumant une bougie.

Il était évanoui sur son lit. Je regardai tout autour de la chambre : il n'y avait aucun chien, ni Arabka ni autre.

La sueur coulait sur le visage du prince. Il avait les poings crispés par la terreur.

Je lui jetai de l'eau à la face. Il tressaillit et rouvrit les yeux.

– Est-elle partie ? demanda-t-il.

– Mais, mon petit père, elle n'est jamais entrée.

– Je te dis que je l'ai vue, moi, entrer par la porte, venir à mon lit.

– Comment veux-tu l'avoir vue dans la nuit ? Elle était noire comme le four du diable, puisque c'est pour cela qu'on l'appelait Arabka.

– Oui, mais ses yeux brillaient comme deux charbons et illuminaient la chambre autour d'elle. Elle venait me dire, la fidèle bête, qu'il est temps de songer à mon âme.

– Voyons, mon petit père, voilà que tu en reviens encore à ces sottes idées.

– Non, non, j'ai soixante et dix ans, et hier, j'ai rêvé que je me mariais avec Macka, la vachère. Rêver que l'on se marie, c'et le signe de mort. Le jour où nous avons quitté le château, une truie a mis bas et a fait treize petits, signe de mort. Enfin, le dernier jour anniversaire de ma naissance, une glace s'est cassée toute seule, signe de mort, Jacquot, signe de mort !

– Eh bien, dis-je, mon cher prince, puisque vous êtes si convaincu que votre heure approche, il faut vous occuper sans retard des choses spirituelles.

– Cela t'est bien aisé à dire, Jacquot, fit le prince d'une voix sourde ; les choses spirituelles, oui, voilà justement ce qui m'embarrasse.

– Bon ! ce qui vous embarrasse ? Le premier pope venu, pour une centaine de roubles, vous rendra la conscience aussi nette qu'un miroir ! Vous vous êtes fait la vie douce, bonne, agréable ; mais vous n'avez ni tué ni assassiné.

Le prince toussa comme s'il étranglait.

– Eh ! qui te dit cela, Jacquot-Petrovitch, demanda-t-il, que je n'ai ni tué ni assassiné ?

Je le regardai, à ce qu'il paraît, avec des yeux effarés.

– Jacquot, me dit-il, laisse-moi la lumière, mets-toi en prière dans la chambre à côté, et, dès que le jour viendra, va me chercher un prêtre.

J'obéis. Je me retirai dans ma chambre, et je me mis en prière.

Quant au prince, je l'entendis toute la nuit soupirer, sangloter et se frapper la poitrine.

Au jour, je me levai, et passai ma tête par l'ouverture de la porte du prince.

– Voulez-vous toujours le pope, mon petit père ? lui demandai-je.

– Plus que jamais, me dit-il.

J'allai chercher le pope et je l'amenai.

– Voici le pope, dis-je au prince ; vous pouvez être tranquille, c'est un pauvre diable dont vous ferez tout ce que vous voudrez avec dix kopecks.

Le prêtre entra.

C'était un jeune homme de vingt-huit à trente ans, au front pâle, à l'œil sévère ; il exerçait, depuis un an seulement, dans un pauvre village des environs.

Je les laissai seuls.

Tout alla bien pendant dix minutes ; mais, au bout de dix minutes, j'entendis la voix du prince qui s'élevait avec un accent de menace.

– Ah ! tu ne veux pas, pour une pareille misère, me donner l'absolution, prêtre ? lui disait-il ; quand je t'offre cent roubles, quand je t'offre cinq cents roubles, quand je t'offre mille roubles ?

– Mon prince, répondait le prêtre d'une voix calme, quand vous m'offririez toutes les richesses de notre père le czar Nicolas, je ne pourrais vous donner l'absolution. Il y a meurtre, meurtre avec préméditation, meurtre longuement préparé, froidement exécuté. Voyez l'archimandrite ou le métropolitain ; ils ont de plus grands pouvoirs qu'un pauvre pope. Mais, à moi, c'est impossible.

– Je te ferai fouetter de verges, misérable cafard, jusqu'à ce qu'il n'y ait plus lanière de ta peau qui tienne à l'autre ! disait le prince.

– Ma vie est entre vos mains, monseigneur ; mais mon âme est entre celles de Dieu. S'il lui plaît que je meure martyr, mon âme n'en remontera que plus vite à lui.

J'entendis alors la voix du prince qui se radoucissait et qui descendait jusqu'à la prière.

Mais, sans s'adoucir ni monter d'un ton, la voix de son interlocuteur restait ferme et négative.

– Va-t'en donc, misérable ! s'écria le prince, et ne te représente jamais devant moi !

Le prêtre sortit du même pas qu'il était entré, sans paraître un instant ému des menaces du prince. Il me bénit en passant et sortit par la porte du pavillon.

Pâle et les cheveux hérissés, le prince venait derrière lui. Il tenait un fouet à la main. Il ouvrit la porte du pavillon que venait de refermer le pope, comme s'il eût voulu le poursuivre. Mais, lorsqu'il le vit s'éloigner si calme, le fouet lui tomba des mains, et il lui cria :

– Au nom du Seigneur, priez pour moi, mon père !

Puis, comme je vis que les forces manquaient à mon pauvre maître, je courus à lui, le reçus dans mes bras et l'assis dans un fauteuil.

Il était redevenu faible comme un enfant.

– Et toi aussi, n'est-ce pas, Jacquot-Petrovitch, tu prieras pour moi ? continua le prince. Dès aujourd'hui, nous allons retourner au château ; aussitôt arrivé, tu iras trouver l'archimandrite de Kazan, et tu lui commanderas plusieurs prières à mon intention ; il faut qu'il prie, c'est son affaire : je lui donne plus de mille roubles par an l'un dans l'autre ; s'il prie bien, il aura pour son église une cloche dont on entendra le son d'un côté jusqu'à Saratof, et de l'autre jusqu'à Nijni. Mon testament est fait ; c'est justement Mouransky, notre hôte, que j'ai nommé exécuteur de mes volontés ; c'est à lui seul que je puis confier cette grave affaire. Mon fils Boris est mort ; je ne connais pas mon petit-fils Danilo, qui a toujours habité Saint-Pétersbourg. Tous mes voisins sont des ivrognes sans foi ni loi. C'est donc à Mouransky que je confie mes affaires terrestres ; mais c'est à toi, Jacquot, et à l'archimandrite de Kazan que je confie mon âme. Toi et le père Trifon, songez-y bien, vous en répondez devant Dieu.

» Quand je serai mort, Jacquot, on me déposera dans le caveau de notre famille, aux pieds de mon père, et tu feras dire pour moi quarante services divins à l'église ; en outre, tu me feras inscrire sur les registres du synode pour que l'on y prie à perpétuité à mon intention. Tu seras présent toi-même, lors de l'inscription, car ces gredins de popes sont de bien rusés drôles !

» À propos, la sainte Vierge de notre église a grand besoin d'un collier de perles et d'une nappe d'argent pour son autel ; je m'accuse d'avoir fait semblant de ne pas voir que ces deux choses lui manquaient. L'intendant, pour qui je te remettrai un ordre, te donnera les perles et le lingot d'argent dont tu auras besoin dans cette occasion. Tu feras la commande à Moscou ; mais pas chez ce gueux de Zoubrillof : il prétend que je lui redois deux mille roubles, et, comme il sait que je ne les lui payerai jamais, il les retiendrait sur le collier de perles et la nappe d'argent de la Vierge. Ah ! l'abominable fils de chien, dit le prince en serrant les poings, en se levant, en ramassant son fouet et en se promenant à grands pas dans la chambre, s'il me tombe jamais dans les mains, celui-là, il ne périra que de mon knout !

Mais, en ce moment, un contrevent mal assujetti, poussé par le vent, frappa contre la muraille.

Le prince pâlit et redevint tout tremblant.

– Que Dieu ait pitié de mon âme !

– Mais ne voyez-vous pas, mon prince, que ce n'est rien ! Un contrevent qui frappe, voilà tout.

– Tu trouves toujours que ce n'est rien, toi... Où en étions-nous ? Ah ! je me rappelle. Tu n'achèteras pas d'étoffe de soie pour recouvrir mon cercueil, attendu que, lorsque mon cousin germain, le prince Vladimir, est parti l'année dernière pour Paris, je lui ai donné l'argent nécessaire à m'acheter une pièce d'étoffe de soie de Lyon. Tu l'emploieras donc à couvrir mon cercueil. Cependant, j'ai une crainte à cet égard.

– Laquelle, mon petit père ? lui demandai-je.

– Il paraît que mon cousin Vladimir mène à Paris une vie désordonnée et qu'il perd au jeu des sommes énormes. Or je sais ce que c'est qu'un joueur. Il peut perdre, aussi bien que le sien, l'argent que je lui ai donné, sans s'inquiéter de ce que, par son fait, je risque de partir pour l'autre monde d'une façon inconvenante et de me présenter devant le Père éternel comme un va-nu-pieds.

» Tu inviteras à mon enterrement toute la noblesse des environs, de même que tous les petits nobles ; car je tiens à ce que mon enterrement soit splendide et à ce qu'il y ait beaucoup de monde. Seulement, n'invite pas Kartchaguine ; je le déteste de tout mon cœur. Il prend avec moi, et cela sous prétexte qu'il descend de Rurik, des airs d'importance et de supériorité qui m'agacent horriblement les nerfs ; car je me regarde comme bien au-dessus de lui sous tous les rapports. N'oublie pas surtout de me mettre sur la tête un riche bonnet de brocart d'or, brodé de perles. Tu prendras soin toi-même qu'il soit bien confectionné ; on les fait aujourd'hui d'une manière déplorable et ils n'ont ni forme ni façon.

– Je ferai tout cela, mon prince, soyez tranquille ; mais, maintenant que l'ouragan est calmé, maintenant que le jour est venu, ne feriez-vous pas bien de dormir un peu ?

Le prince Alexis suivit mon conseil et se recoucha. Je m'assis dans la chambre à côté, prêt à venir à lui au premier appel.

Je l'entendis se tourner et se retourner dans son lit comme un homme qui ne peut pas dormir. Enfin, d'une voix gémissante, il prononça mon nom, et je rentrai dans sa chambre.

– Viens t'asseoir là, me dit-il en me montrant une chaise placée au chevet de son lit.

J'obéis.

– Écoute, me dit-il, il n'y a qu'en toi que j'aie une confiance entière, mon pauvre Jacquot sans Oreilles, et je vais tout t'avouer. Ma crainte est, d'après les avertissements qui me sont donnés, de mourir par un de ces accidents que l'homme rencontre sur sa route au moment où il y pense le moins. De cette façon, je mourrais sans confession et sans absolution. Voici donc ce que j'attends de toi : si je mourais subitement et avant d'avoir eu le temps d'être pardonné, tu irais à pied, tu entends bien ? le bourdon du pèlerin à la main, jusqu'à Moscou ; tu demanderais à voir le métropolitain, tu te confesserais à ma place, et tu ferais à mon intention la pénitence qu'il t'ordonnerait. De cette façon, je l'espère, ma pauvre âme obtiendrait quelque soulagement. Feras-tu cela, Jacquot ?

– Aussi vrai que je donnerais ma vie pour vous, mon petit père, lui répondis-je, je le ferai.

– Eh bien, alors, écoute, me dit le prince.

Et il me raconta une histoire terrible.

VI

La princesse Marfa-Petrovna

– Enfin ! je vais donc savoir l'histoire de la princesse Varvara !

– Pas encore, Ivan-Andréovitch, pas encore, me répondit Jacquot sans Oreilles ; toute chose doit venir à son tour, et il nous faut commercer par l'histoire de la princesse Marfa-Petrovna.

La princesse Marfa-Petrovna a éprouvé dans sa vie beaucoup de chagrins ; elle a eu peu de jours heureux ; ce fut une véritable martyre ; que Dieu lui donne son royaume !

Son père, le prince Peter-Ivanovitch, avait commencé par la refuser au prince Alexis, dont les antécédents ne lui inspiraient pas grande confiance ; mais le prince Alexis, qui avait suivi le comte Orlof dans son expédition contre les Turcs, ayant été envoyé par celui-ci pour annoncer à l'impératrice Catherine la victoire de Tchesmé qu'il venait de remporter, – le prince Alexis, qui était fort amoureux de la belle Marfa-Petrovna, répondit à l'impératrice, qui lui demandait ce qu'elle pouvait faire pour lui, qu'il ne désirait rien autre chose que d'être l'époux de la fille de son favori Peter-Ivanovitch Trotinski.

Aussitôt, sans observation aucune, la czarine se mit à son bureau, et écrivit la lettre suivante :

« Prenant en considération les services à nous rendus par le prince Alexis-Petrovitch Groubenski, et voulant le récompenser de la bonne nouvelle dont il vient d'être le messager, nous désirons qu'il te plaise de lui donner en mariage ta fille Marfa-Petrovna, et nous te prions de terminer cette affaire sans le moindre retard.

» Que le Très-Haut te conserve en sa sainte garde !

» Ton affectionnée,

» CATHERINE. »

En recevant cette lettre, ou plutôt en la lisant, le prince Trotinski tressaillit d'abord vivement ; puis il fit trois génuflexions devant l'image du Christ ; puis il dit :

– Que la volonté de la czarine soit faite ; nous appartenons tous à Dieu et à elle.

Quinze jours après, le mariage se fit.

La cérémonie ne fut pas gaie ; la jeune mariée avait bien plus l'air d'aller à la mort qu'à la bénédiction nuptiale ; il en résulta que, de peur que cette tristesse ne fût mal interprétée, il n'y eut presque pas de festin de noces, et qu'au bal, après la polonaise dansée, tout le monde se retira.

Le mariage avait eu lieu à Saint-Pétersbourg ; mais, presque aussitôt après le mariage, le prince partit pour ses terres, et emmena sa jeune femme au château de Groubenski.

Six mois se passèrent sans que l'on pût trop dire comment vivaient l'un avec l'autre les jeunes époux ; personne n'était admis au château, et seulement lorsque, par hasard, on apercevait la princesse Marfa, on pouvait remarquer sur ses traits les traces d'une inexprimable tristesse.

Peu à peu, le prince Alexis reprit son ancien train de vie, laissant la princesse Marfa toute seule et se consolant de ce qu'il ne recevait plus chez lui en profitant des fêtes, des chasses et des plaisirs de toute espèce que lui offraient les seigneurs ses voisins.

Ce qui ressortait de tout cela, c'est que la princesse avait peu d'agrément dans son intérieur, et que le mariage ne tarda pas à lui paraître insupportable. Le prince, de son côté, las sans doute de cette mélancolie peu gracieuse pour lui, traitait sa femme de la plus dure manière, et souvent il se faisait – particulièrement dans la chambre à coucher de la princesse – un tel remue-ménage, que c'était comme dit le proverbe, à en emporter les saints de la maison ; on prétendait même que, les jours où le prince rentrait ivre ou s'enivrait chez lui, il ne se bornait pas aux récriminations, mais qu'il se livrait vis-à-vis la princesse à des voies de fait qui laissaient, pour le lendemain et les jours suivants, leurs traces sur le visage et les mains de la pauvre femme.

La princesse était d'un caractère doux et patient ; elle ne trouvait que des pleurs en réponse aux emportements de son mari ; mais cette douceur et cette patience, au lieu de calmer le prince, l'exaspéraient.

Il commença par enfreindre la loi conjugale pendant ses voyages à Moscou et à Saint-Pétersbourg ; puis, en dehors de sa maison, il entretint quelques filles livoniennes ; enfin, il en arriva à avoir dans son propre château des résidentes, comme nous l'avons raconté, et tout cela sans que la princesse se plaignît jamais à personne, habituée qu'elle était à renfermer en elle-même sa douleur.

Peu à peu, l'indifférence du prince Alexis pour sa femme devint de la haine ; il cessa toute relation avec elle, et probablement sa race eût-elle fini en lui, si, dès la première année de son mariage, la princesse n'eût mis au monde le prince Boris-Alexiovitch.

Tant que le jeune prince demeura au château, ce fut une grande consolation pour la pauvre mère ; elle s'occupait de son éducation, qu'elle soignait extrêmement, lui donnait des professeurs allemands et français, surveillant elle-même les progrès qu'il faisait dans ces deux langues, qu'elle parlait comme sa langue maternelle ; de sorte qu'à l'âge de douze ans, le jeune prince Boris en savait autant que les fils de famille en savent, en Russie, à l'âge de vingt ans.

Mais, dès que le jeune prince Boris eut quinze ans, le prince Alexis, qui craignait que cette éducation surveillée par une femme ne prît un caractère trop féminin, le prince Alexis conduisit lui-même son fils au czar Paul Ier, qui venait de monter sur le trône, et, comme le hasard fit que le prince avait le nez retroussé – ce qui était une des conditions de faveur auprès de l'empereur Paul Ier –, celui-ci le nomma à l'instant même enseigne dans le régiment de Paulovski, qu'il venait de fonder.

À partir du moment où son fils l'eut quitté, la pauvre princesse, dont il était la dernière joie, mena la vie d'une recluse et commença de dépérir et de fondre comme une véritable bougie. Elle ne paraissait plus que dans les grandes occasions, comme au jour de l'ouverture de la foire, ou au jour de la fête du prince ; et alors c'était par l'ordre exprès de son mari qu'elle faisait une grande toilette et qu'elle assistait à toutes les grandes cérémonies, toujours muette, silencieuse, et ne répondant que par des signes de la tête ou de la main.

Pendant tout le reste du temps, elle demeurait enfermée dans sa chambre, demandant ses seules distractions à la prière et à la confection d'ornements pour les églises.

Le prince recevait chez lui sans s'inquiéter de ce que faisait sa femme, qui demeurait, comme nous l'avons dit, toujours solitaire ; si bien que, d'un côté, régnaient l'orgie, les débauches, les bruyantes gaietés ; de l'autre, la prière et le recueillement. Souvent la solitude de la princesse était telle, qu'il lui arrivait de se coucher sans avoir soupé, car elle n'avait pas une servante à qui donner un ordre, occupée qu'était toute la domesticité à obéir au prince et à ses convives.

Il arriva même un moment où la princesse Marfa-Petrovna fut privée de sa plus grande distraction, la lecture ; elle pleura tant, que sa vue s'affaiblit et qu'elle devint presque aveugle.

Par bonheur, il y avait, parmi les connaissances qui habitaient le château, un petit noble nommé Bieloussof ; il avait perdu son modeste patrimoine par suite d'une mauvaise chicane que lui avait suscitée un de ses puissants voisins ; se trouvant sans aucun moyen d'existence, il était venu se fixer chez le prince Alexis, et il vivait, comme beaucoup d'autres, de sa munificence.

C'était un homme plutôt vieux que jeune, tout rempli de bonnes qualités, doux et calme, affable avec tout le monde ; il n'avait qu'un seul défaut qui le distinguât de ses semblables : c'est qu'on ne pouvait parvenir à lui faire boire ni vin ni eau-de-vie. En revanche, il était extrêmement savant dans les Écritures et dans les choses religieuses, et il passait la plupart du temps penché sur de gros vieux livres qui traitaient de toute sorte de choses sacrées et profanes ; au reste, il était très exact dans tous les devoirs que nous impose la religion, arrivant toujours à l'église avant le pope et n'en sortant que le dernier.

La princesse, ne pouvant plus se livrer à la lecture à cause de la faiblesse de sa vue, fit venir chez elle Bieloussof, et le pria d'être son lecteur.

Cinq ou six autres années se passèrent encore ainsi pendant lesquelles la princesse allait toujours dépérissant.

Un jour, le prince Alexis partit pour la chasse ; mais, dès l'instant même de son départ, il éprouva une grande contrariété : à peine eut-il franchi les dernières haies du château, qu'il rencontra sur son chemin un pope ; or, vous savez, mon cher petit père, que du moment que l'on rencontre un pope en partant pour la chasse, on peut être certain de ne rencontrer de toute la journée aucun autre gibier. Vous pensez bien que le prince Alexis n'était pas homme à laisser passer ainsi le malencontreux pope qui lui gâtait sa chasse sans le secouer quelque peu ; mais, à peine eut-il réglé son compte avec lui par une vingtaine de coups de fouet, que son cheval s'emporta et manqua de le tuer en s'abattant et le jetant, par-dessus sa tête, au milieu d'un bourbier. Le prince s'en tira sain et sauf ; mais il fut obligé de changer de tout depuis la tête jusqu'aux pieds, étant de la tête jusqu'aux pieds couvert de vase.

On leva, ce jour-là, onze renards et trois sangliers ; les renards rusèrent tant et si bien, qu'on ne put en prendre un seul ; quant aux sangliers, ils firent tête aux chiens, en éventrèrent une vingtaine, et des meilleurs, et filèrent sans qu'on pût mettre la main dessus. Le prince nous distribua bien aux uns et aux autres quelques coups de fouet, mais cela ne calma pas sa colère, et, le soir, il rentra au château sombre et menaçant comme une nuit chargée d'orage.

Au moment de son arrivée, on lui remit une lettre du prince Boris. Aussitôt qu'il y eut jeté les yeux, il commença de pousser des rugissements de lion en fureur ; puis nous entendîmes un grand bruit produit par les glaces, les meubles et les carreaux qui volaient en éclats. Personne ne pouvait deviner d'où venait cette grande colère ni sur qui elle retomberait ; nous nous blottîmes tous dans des coins et chacun adressa au Ciel cette prière mentale :

– Seigneur, éloignez de nous les malheurs dont nous sommes menacés !

Enfin l'on entendit ces mots sortir de la chambre :

– Que l'on fasse venir ici, à l'instant même, la princesse Marfa-Petrovna.

Un heiduque s'élança aussitôt pour accomplir l'ordre donné ; mais, au bout de quelques instants, il revint et dit au prince que, vu l'état de maladie où elle se trouvait, la princesse était dans l'impossibilité de descendre.

Il n'avait pas achevé, qu'il roulait par terre, frappé d'un coup de poing, et depuis il n'a jamais pu retrouver le nombre exact de ses dents : cinq ou six, à partir de ce moment-là, manquèrent à l'appel.

Le prince sauta par-dessus le corps du pauvre diable, et, pareil à un ouragan, il monta chez la princesse. Celle-ci était étendue sur un sofa, fort triste et surtout fort malade ; auprès d'elle, devant une table, se tenait Bieloussof assis et lui lisant tout haut le *Martyrologe de*

Sainte Varvara.

– Eh bien, madame, s'écria le prince, vous avez donné de si bons principes à votre fils, qu'il vient de se marier avec une drôlesse ; c'était, au reste, ce qui devait arriver à un fils élevé par une mère qui passe, comme vous, ses nuits et même ses jours avec ses amants.

La princesse ne jeta qu'un cri ; elle essaya de se soulever, mais n'en eut pas la force, et elle retomba en arrière, étendue sans connaissance sur son canapé.

Le soir, la nouvelle se répandit que la princesse était morte ; le lendemain, Bieloussof disparut sans qu'on ait jamais pu dire ce qu'il était devenu.

Le jour même de cette disparition, la princesse Marfa-Petrovna fut étendue sur son lit de parade. Dieu donne la paix du ciel à son âme !

L'enterrement de la princesse fut magnifique ; il y eut trois archimandrites et cent popes. Quoiqu'elle fût très peu connue, elle faisait, du fond de sa solitude, tant d'aumônes, que chacun la pleura, et surtout les pauvres. Quant au prince Alexis, il ne versa pas une larme ; seulement, il avait l'air fort abattu, et, de temps en temps, il était pris d'un mouvement convulsif.

Pendant les six semaines qui suivirent ce triste événement, on nourrit au château une foule de mendiants ; tous les samedis, on donnait à chacun d'eux une pièce de monnaie ; l'enterrement seul coûta cinq mille roubles.

Pendant le dîner qui fut donné à la suite de l'enterrement, le prince Alexis ne fit que s'entretenir pieusement avec les archimandrites sur la meilleure manière de vivre en bon chrétien et sur les moyens les plus efficaces de sauver son âme ; il prononça des éloges touchants sur les vertus angéliques de la défunte, et il exprima en des termes très vifs le profond regret et l'immense désespoir qu'il éprouvait de sa perte.

Les archimandrites essayèrent de lui faire entendre des paroles de consolation ; mais le prince répondit à celui qui le consolait avec le plus d'éloquence :

– Décidément, je ne puis demeurer sans elle en ce bas monde, et je vous prie, mon père, de me recevoir au nombre de vos religieux.

– C'est un projet bien salutaire, mon cher prince, lui répondit l'archimandrite ; mais tout projet, pour être bon, doit être exécuté après une mûre réflexion.

– À quoi bon réfléchir ? s'écria le prince ; crains-tu que je ne te paye pas suffisamment ma bienvenue ? Ne crains rien, va ! Je t'apporterai quarante mille roubles ; je n'ai plus besoin de faire des économies.

– Cependant, dit l'archimandrite, vous avez un fils.

– Qui cela ? s'écria le prince ; Boris ? Voilà un chenapan auquel je conseille, s'il tient à sa peau, de ne jamais se présenter devant moi ; c'est lui qui est la véritable cause de ma douleur, le scélérat ! C'est lui qui est le véritable meurtrier de sa mère ! Il vient de se marier avec une maritorne sans notre bénédiction et sans nous avoir avertis de ce beau projet ; il a tué sa mère, je vous le répète, mon père ; car, une fois que la princesse Marfa eut appris le déshonneur dont il avait souillé notre maison, elle tomba à la renverse sans connaissance, puis survint une attaque d'apoplexie, et tout fut fini pour ma chère femme ! Mais il me le payera, le gredin ! je le laisserai sur la paille avec sa drôlesse, et, si vous ne me recevez pas dans votre couvent, je vais me marier pour avoir bien vite d'autres enfants.

Le lendemain, le prince, pour montrer sa douleur, daigna administrer de nombreuses corrections de sa propre main ; tous ceux qu'il rencontra sur sa route furent plus ou moins coupables de quelque faute ; les petits nobles et ses connaissances ne furent pas plus épargnés que les moujiks, et ils commencèrent à trouver leur position chez le prince si peu tenable, qu'ils disparurent peu à peu de chez lui.

Mais, grâce à Dieu, le prince Alexis ne daigna rester dans ses mauvaises dispositions que pendant deux semaines. Au bout de ce temps, il partit un matin pour la chasse à l'ours, laquelle chasse ayant réussi à merveille, sa douleur disparut comme par enchantement, et sa vie, à compter de ce jour, reprit son cours ordinaire. Seulement, au milieu des bals, des fêtes et des amusements, il vieillissait à vue d'œil, et souvent il arrivait que, lorsqu'il se trouvait à la chasse et qu'il se mettait, comme d'habitude, sur un baril d'eau-de-vie, le verre lui tombait de la main, et il devenait tout sombre et tout pensif. Alors les rires et les cris joyeux de ceux qui l'accompagnaient cessaient subitement. Mais, après quelques instants de ce sombre silence, il était le premier à relever la tête, et entonnait tout à coup une vieille chanson à boire dont chacun répétait le refrain en chœur.

VII

La princesse Varvara

Un an juste après la mort de la princesse Marfa-Petrovna, on remit au prince Alexis une lettre du prince Boris, son fils.

Il lut la lettre ; puis, avec ses plus terribles jurons, il appela devant lui son intendant et son chef des domestiques, et leur donna l'ordre suivant :

– Écoutez bien, vous tous, et que nul n'oublie un mot de ce que je vais dire ! Le prince Boris arrivera ici demain avec sa drôlesse de femme. Je défends expressément à tout le monde de les saluer autrement que par des injures ; on les laissera arriver jusqu'à moi ; mais on ne détellera pas leurs chevaux, vu que je n'ai absolument à leur donner qu'une petite leçon, après laquelle je les chasserai du château. – Vous avez entendu ?

– Oui, prince, répondirent l'intendant et le chef des domestiques ; vous pouvez être tranquille, il sera fait comme vous le désirez.

Et, en effet, cela se fit ainsi.

Le lendemain, vers onze heures, on annonça que la voiture du prince et de sa femme était en vue du château.

Je ne puis vous dire, mon cher Ivan-Andréovitch, ce que les deux jeunes époux eurent à souffrir à leur arrivée à Niskevo.

Le prince se tenait morne et silencieux dans sa voiture ; la princesse répondait par de doux sourires, mais tout en versant des larmes amères, aux injures et aux grossièretés dont on l'accablait de toutes parts ; on avait ramassé exprès, pour cette circonstance, une centaine de polissons qui ne firent que les huer depuis l'entrée du village jusqu'au château.

Le prince Alexis, tenant un gros fouet de cuir tressé à la main, attendait dans le grand salon l'arrivée de son fils et de sa belle-fille ; ses yeux brillaient comme ceux d'un loup rôdant la nuit autour d'un parc de moutons. Nous nous cachâmes de notre mieux dans tous les coins, car nous voyions qu'il se préparait un épouvantable orage. J'avais fait venir en secret un pope, et je l'avais mis dans une pièce retirée, pour le cas où, le prince se portant à quelque extrémité, l'intervention d'un prêtre deviendrait nécessaire.

Il se faisait dans tout le château un de ces silences qui se font dans la nature quand un ouragan va éclater.

Les deux jeunes mariés parurent enfin sur le seuil du salon.

À leur entrée, le prince fit un brusque mouvement de menaçante colère et leva son fouet ; mais, à la vue de cette jeune femme si belle, si douce, si pure qu'elle semblait un ange descendu du ciel, le fouet du prince lui tomba des mains, son visage changea tout à coup d'expression, et, de menaçant qu'il était, il devint en quelques secondes affable et souriant.

Les jeunes gens se rejetèrent aux pieds de leur père ; mais ce fut le prince Boris seul qui se mit à genoux, le prince Alexis ne laissa pas la jeune femme exécuter ce mouvement : il la prit d'une main par la taille, et, de l'autre, lui caressant le menton :

– Ah ! te voilà, petite coquine ! dit-il de sa voix la plus caressante. Allons, allons, je comprends monsieur mon fils ; car tu es bien jolie. Embrasse-moi, *Douchinka* ; nous ferons connaissance, sois tranquille.

Puis, se tournant vers son fils :

– Sois le bienvenu, Boris ! lui dit-il. Je voulais te donner une leçon ; mais, en voyant ta femme, je n'en ai pas le courage. Dieu soit avec toi !

La tournure que prenaient les choses nous avait jetés dans un profond étonnement ; mais il faut dire aussi que la princesse était d'une beauté si éclatante et d'une douceur si angélique, qu'elle eût désarmé la colère d'un tigre rien que par un regard de ses beaux yeux.

Je courus à la chambre où était enfermé le pope, et je le fis sortir du château sans que personne le vît.

Ce jour-là et les jours suivants, il y eut grande fête au château ; les festins et les bals se succédèrent, splendides et éclatants comme aux plus belles époques du passé ; seulement, il n'y avait plus, pendant le dîner, ni ours, ni résidentes, ni ivrognes étendus dans les corridors ; tout se passait dans l'ordre le plus parfait, et, lorsqu'un des amis du prince se hasardait à lui dire tout bas : « Est-ce que nous n'irons pas faire un tour dans les pavillons et dire deux mots à l'Olympe ? » le prince Alexis lui jetait un regard si sévère, que l'indiscret ami sentait sa langue se paralyser à l'instant même dans sa bouche.

Et tous les changements se faisaient sous l'influence et par les conseils de la princesse Varvara.

Elle n'avait qu'à dire : « Assez, cher petit père !... Ce n'est pas bien, ce que vous faites là ! » et le prince Alexis agissait à l'instant même selon son conseil.

Non seulement on avait cessé d'envoyer les gens à l'écurie, mais encore tous les fouets, tous les knouts, tous les martinets avaient été brûlés, à la grande satisfaction de tout le monde.

Ce n'est pas tout : le prince Alexis maria, depuis la première jusqu'à la dernière, toutes ses résidentes, et ceux des petits nobles et des connaissances qui avaient le caractère turbulent et une trop grande affection pour la bouteille furent envoyés dans les propriétés éloignées du château.

Il en résulta qu'il s'établit chez nous une pureté de mœurs et un ordre qui n'y avaient jamais été connus auparavant.

La chasse même ne se faisait plus comme autrefois : le prince avait cessé de s'asseoir sur des barils pleins d'eau-de-vie et de boire outre mesure ; il vidait bien encore deux ou trois petits verres de vodka, et il en régalait bien encore ses compagnons, mais, relativement au passé, il les maintenait et se maintenait lui-même dans la mesure de la plus stricte sobriété.

– Il ne faut pas trop boire, disait-il à ses convives ; car, si *Douchinka* venait à le savoir, elle me gronderait.

Cette existence dura tout une année, et il était fort question de faire venir le petit prince Danilo, qui était resté avec sa nourrice et que ses parents n'avaient point osé amener, ne sachant pas comment les choses se passeraient ; mais il avait déjà treize mois, on écrivait qu'il commençait à marcher seul, et le prince Alexis mourait d'envie, disait-il, de voir son petit-fils.

Par malheur, sur ces entrefaites, la paix qui avait suivi la bataille d'Austerlitz fut rompue et la campagne de 1806 s'ouvrit.

Le prince Boris était toujours au service, et, en recevant la nouvelle qu'on allait se battre de nouveau contre la France, il dut partir pour rejoindre l'armée.

La princesse Varvara voulait à toute force accompagner son mari ; mais le prince Alexis la supplia, les larmes aux yeux, de ne point l'abandonner ainsi dans sa vieillesse ; de son côté, le prince Boris fut d'avis qu'il n'était ni prudent ni convenable que sa femme l'accompagnât à l'armée ; en conséquence, la princesse, se rendant aux prières de son beau-père et aux conseils de son mari, consentit à rester au château.

Je me rappelle parfaitement les tristes et déchirants adieux que se firent les deux époux ; on eût dit qu'ils avaient le pressentiment qu'ils ne se reverraient jamais.

Le prince Alexis bénit son fils en le touchant avec une sainte image, l'embrassa tendrement, lui recommanda de se battre en brave, et de bien servir l'empereur Alexandre.

– Quant à ta femme, lui dit-il, sois sans inquiétude à son égard : il lui sera fait ici une existence aussi douce et aussi tranquille que le pourrait être celle d'une reine.

Après le départ du prince Boris, la vie du château continua comme par le passé, et avec plus de calme encore peut-être, car la princesse éprouvait un profond chagrin du départ de son mari ; pour ce motif, les visites devinrent de plus en plus rares ; et, quant aux bals et aux repas, il n'en fut même plus question.

Le prince Alexis ne quittait presque pas sa belle-fille, et cherchait à la rassurer par tous les moyens possibles sur le sort de son mari.

Par malheur, l'ennemi du genre humain ressentit sans doute un violent dépit en contemplant cette tristesse si douce et si paisible, qu'elle ressemblait presque à du bonheur : il souffla au cœur du prince Alexis des pensées infâmes, lui inspirant un coupable amour pour sa belle-fille, si bien qu'il mit en œuvre toutes les ressources de son esprit pour le lui faire partager.

Comme on le pense bien, la jeune princesse fut épouvantée en entendant celui qui avait promis à son époux de veiller sur elle, lui tenir un pareil langage. Avec toute la douceur dont elle était capable, elle voulut lui faire comprendre toute l'horreur du crime qu'il méditait. Mais Satan avait déjà pris un trop grand empire sur le cœur du prince pour que celui-ci pût entendre la raison.

La lutte dura plusieurs mois.

Enfin, un jour que l'on allait partir pour la chasse et que les piqueurs se tenaient déjà au pied du perron, le prince entra dans la chambre de sa fille à six heures du matin, sous prétexte de lui dire adieu ; il y resta jusqu'à sept heures.

Puis, tout à coup, on l'entendit crier :

– Que l'on m'envoie Ouliachka et Vasilika !

Les deux femmes arrivèrent, toujours promptes à obéir aux ordres du prince ; elles le trouvèrent luttant avec sa belle-fille, qui ne pouvait crier, ayant un mouchoir entre les dents.

– Allons, vous autres, dit le prince, arrangez-moi cette colombe-là comme vous savez.

Alors les deux exécutrices lièrent fortement les bras de la princesse derrière son dos et s'éloignèrent discrètement.

– Une fanfare ! cria le prince en ouvrant la fenêtre et en la refermant aussitôt.

Deux cents cors firent entendre à la fois leurs sons éclatants, auxquels se mêlèrent les hurlements des chiens de chasse, réveillés subitement par cette fanfare.

Ce bruit empêcha d'entendre les cris de la princesse Varvara...

Les festins et les orgies reprirent leur cours au château de Groubenski ; les résidentes rentrèrent dans leurs chambres, désertes depuis dix-huit mois ; les pavillons s'illuminèrent pour recevoir de nouveau les princesses de l'Olympe, et, au milieu des chants et des danses, percèrent comme autrefois les cris de ceux que l'on envoyait à l'écurie pour y recevoir le knout.

VIII

La substitution

La princesse Varvara était malade ; si malade, que personne n'approchait plus de sa chambre, ne la voyait plus, ne lui parlait plus ; elle fût tombée dans la pièce d'eau et s'y fût noyée, qu'elle n'eût pas été plus absente du château qu'elle ne paraissait l'être. Seulement, on racontait qu'elle voulait absolument partir pour Memel, où était son mari, mais que le prince Alexis s'opposait positivement à ce voyage.

Il y avait, parmi les domestiques du prince, un certain Grinschka Chatoune, lequel avait, pour se soustraire au service militaire, passé dix années de sa jeunesse avec cette bande de pirates d'eau douce qui croisaient, vers la fin de l'autre siècle, sur la Volga, s'emparant des bâtiments, pillant les marchandises, rançonnant les voyageurs.

Un beau jour, il s'était lassé de cette vie et était venu, en confessant tout au prince, lui demander sa protection, c'est-à-dire l'impunité. Le prince aimait fort à se mettre en travers de la justice des gouverneurs ; cela lui donnait à lui-même une idée de son pouvoir et satisfaisait son orgueil. Il reçut donc Grinschka au nombre de ses domestiques, peu à peu lui accorda sa confiance, et finit par lui donner un libre accès auprès de sa personne. En reconnaissance de cette protection, Grinschka s'était fait le mouchard du prince : par Grinschka, celui-ci savait tout ce qui se passait dans ses propriétés, si bien que tout le monde craignait et détestait Grinschka et qu'on allait jusqu'à dire que, lorsqu'il faisait partie des pirates de la Volga, il avait, une nuit, vendu son âme au diable dans la forêt de Saratof, et que, depuis ce temps, il se livrait à la sorcellerie et à toute sorte d'autres pratiques abominables.

Or, Grinschka parvint un jour à s'emparer d'une lettre que la princesse Varvara écrivait à son mari pour se plaindre à lui de son beau-père. Quelle accusation portait-elle contre le prince Alexis, personne ne le sut jamais ; mais ce qu'il fut facile de voir, c'est qu'après avoir lu cette lettre, le prince tomba dans de sombres réflexions, erra toute la journée dans les vastes appartements du château, tenant ses mains derrière son dos et sifflotant la *Marche des Strélitz,* ce qui était toujours chez lui la marque d'une profonde préoccupation.

Le lendemain, cette préoccupation redoubla après qu'il eut reçu une lettre du secrétaire du gouverneur de Kazan : cet homme, qui lui était tout dévoué, l'invitait à se tenir sur ses gardes, attendu que le gouverneur de Kazan, bien qu'il fût de ses amis, ne pouvait se dispenser de faire une descente chez lui et de s'y livrer à une enquête, et cela par suite d'une lettre qu'il avait reçue de la princesse Varvara ; seulement, le secrétaire ajoutait qu'il s'arrangerait, lui, de manière que la visite n'eût lieu que dans quatre ou cinq jours, afin que, s'il existait quelque preuve de culpabilité, on eût le temps de la faire disparaître.

Le prince, après avoir pris connaissance de cette lettre, se promena dans ses appartements, bien autrement sombre et bien autrement pensif que la veille.

De toute la journée, il ne but ni ne mangea ; il semblait un nuage noir près de lancer la foudre et les éclairs ; aussi personne de nous n'osait-il se trouver sur son passage.

Le soir venu, il fit appeler son âme damnée, Grinschka Chatoune, et resta enfermé avec lui jusqu'au jour.

Se livrèrent-ils ensemble à quelque diabolique sorcellerie, c'est ce que personne ne peut dire, le Seigneur Dieu seul ayant su ce qui s'était passé entre eux deux.

Le matin venu, le prince Alexis donna l'ordre de préparer tout ce qui était nécessaire pour le voyage de la princesse Varvara, laquelle allait rejoindre son mari à Memel ; la journée se passa en dispositions, et, le soir, une voiture s'arrêta devant le perron.

On vit alors la princesse Varvara, le visage pâli par la maladie et les souffrances morales, descendre le grand escalier du château, et s'avancer jusqu'à la balustrade extérieure. Là, elle fit ses adieux à tout le monde, s'approcha respectueusement du prince Alexis, mais se borna à lui baiser la main sans prononcer une seule parole ; seulement, tout le monde put remarquer qu'en touchant la main du prince, elle tressaillit convulsivement de tout son corps, et faillit tomber à la renverse sur les dalles du perron.

– Allons, allons, Dieu te garde, belle-fille ! lui dit le prince Alexis.

Puis, se tournant vers les femmes :

– Qu'on la mette dans le carrosse, dit-il.

On aida, en effet, la princesse Varvara à monter dans le carrosse. Sur le siège, près du cocher, s'assit Chatoune, et, derrière la princesse, montèrent dans la voiture avec elle Ouliachka et Vasilika, c'est-à-dire ces mêmes femmes qui, un mois auparavant, lui avaient lié les mains.

Les domestiques, en voyant cela, échangèrent un regard plein de tristesse ; car chacun pensait en soi-même que cet entourage n'annonçait rien de bon, et qu'il se préparait quelque grand malheur.

À onze heures du soir, le prince Alexis sortit tout seul du château, descendit dans le jardin, et se rendit droit au pavillon rose, où il passa une partie de la nuit. À cinq heures du matin, il en sortit, ferma la porte avec le plus grand soin, et jeta la clef dans la pièce d'eau.

À partir de la même matinée, toutes les portes qui donnaient accès au jardin furent fermées et condamnées, et il fut sévèrement défendu à tous d'y pénétrer ni même d'en approcher.

La même nuit où le prince sortit du château pour aller s'enfermer dans le pavillon rose, il arriva un autre événement fort bizarre.

Aringa, la fille du palefrenier Nikisof, disparut sans qu'on eût d'elle ni nouvelles ni traces ; elle souffrait depuis quatre semaines d'une forte fièvre intermittente, et il est difficile d'admettre qu'elle fut violentée par quelqu'un à cause de ses charmes, étant déjà fort peu attrayante lorsqu'elle jouissait de toute sa santé. – Cette singulière disparition intriguait fortement tout le monde, mais personne n'osait dire ce qu'il pensait à cet égard.

Quinze jours plus tard, Chatoune revint au château avec les deux femmes qui avaient accompagné la princesse Varvara dans son voyage. Ils racontèrent que, la princesse devenant de plus en plus malade à mesure qu'elle s'éloignait du château, cette maladie avait fini par s'aggraver tellement, que la pauvre jeune femme avait dû s'arrêter dans un petit village ; elle avait alors fait appeler un médecin pour la soigner ; mais ces soins, sans doute, avaient été impuissants, car la princesse était morte à la fin de la troisième journée de sa halte dans le village.

Chatoune remit au prince Alexis les papiers qui constataient ce triste décès ; ces papiers étaient les certificats délivrés par le gouverneur de la ville voisine de l'endroit où mourut la princesse, par le médecin qui l'avait soignée avant sa mort et par le pope qui avait présidé à son enterrement.

Le prince Alexis prit tous ces papiers, et, après les avoir lus, il les serra soigneusement dans son secrétaire.

Maintenant, est-il besoin de te dire, mon petit père Ivan-Andréovitch, que la princesse Varvara, après un détour, avait été ramenée au pavillon rose ; que le prince Alexis, aidé par ce démon de Chatoune et par ses deux dignes acolytes Vasilika et Ouliachka, avait muré la princesse Varvara dans la chambre où l'on a retrouvé son corps, tandis qu'à sa place avait été mise, dans la voiture qui devait conduire la princesse à son mari, la fille du palefrenier Nikisof, malade de la fièvre, laquelle mourut en route et fut enterrée sous le nom et à la place de la princesse Varvara ?

Au reste, toutes les traces de cette malheureuse affaire ne tardèrent pas à être complètement effacées. Chatoune et ses deux complices ne demeurèrent pas longtemps de ce monde : le surlendemain de leur retour à Groubenski, le prince Alexis leur ordonna de quitter immédiatement le château et d'aller demeurer dans l'une de ses fermes de l'autre côté de la Volga ; c'était en automne, le fleuve charriait des glaçons qui rendaient sa traversée fort dangereuse ; Chatoune et les deux femmes obéirent néanmoins, car nul n'eût osé résister aux ordres du prince Alexis ; mais ils n'étaient pas encore au milieu du fleuve, que la frêle embarcation qu'ils montaient fut renversée par les glaces, de sorte que ceux qui la montaient disparurent au milieu des flots et furent perdus sans aucun moyen de salut.

Au bruit qui se répandit que quelques-uns de nos gens se noyaient dans la Volga, nous courûmes vivement au fleuve, et nous vîmes le prince Alexis debout sur un rocher escarpé et tenant ses mains derrière son dos ; le vent lui avait arraché son bonnet, qui gisait à terre à une dizaine de pas de lui, et, ses cheveux gris agités par l'ouragan, il contemplait tranquillement et sans les quitter des yeux les trois corps que le fleuve emportait dans sa course rapide et qui de temps en temps reparaissaient à la surface.

Quand tout fut complètement englouti, et les trois corps

humains et la frêle embarcation qui les avait emportés sans pouvoir les défendre, le prince Alexis se signa dévotement, car il récitait sans doute une prière pour le repos de l'âme de ceux qui venaient de périr sous ses yeux ; puis il ramassa son bonnet, et se dirigea vers sa demeure.

C'est ainsi que toutes les traces de cette triste affaire furent perdues à jamais, jusqu'au jour où l'on retrouva le corps ou plutôt les ossements de la princesse Varvara dans le pavillon rose ; si bien que, non seulement les gouverneurs de Kazan, mais tous ceux de la Russie eussent pu faire vingt perquisitions et autant d'enquêtes sans rien découvrir.

Seulement, de même qu'au fond du fleuve gisent les cadavres que le fleuve a engloutis, de même, au fond du cœur du prince, gisait le remords.

Aussi, lorsqu'il crut que l'heure de sa mort lui était annoncée par les hurlements d'Arabka, le secret terrible se fit jour, et il n'eut de repos que lorsqu'il m'eut tout raconté.

Il est vrai que, deux heures après, quand l'orage fut évanoui, quand le soleil eut reparu, quand on vint dire au prince qu'il y avait cinq ou six sangliers détournés, celui-ci, transformé tout à coup, oubliant ou faisant semblant d'oublier ce qui s'était passé, bondit comme un cheval de guerre qui entend la trompette. Et, sortant de son pavillon avec la vivacité d'un jeune homme de vingt-cinq ans :

– À cheval ! à cheval ! cria-t-il de sa voix la plus sonore.

Et, sautant en selle, il partit au grand galop, à peine vêtu et sans avoir fait ses adieux à son exécuteur testamentaire Mouransky.

Quand à nous, nous nous élançâmes sur ses traces en nous dirigeant, de toute la vitesse de nos chevaux, vers la forêt d'Uraginski.

IX

Conclusion

Huit jours après, on était de retour au château.

Dans le grand salon, une centaine de bouteilles de vin, la plupart vides, quelques-unes à moitié vides, douze ou quinze encore non débouchées, cinq ou six barils d'eau-de-vie en perce attestaient, sinon le bon goût, du moins la joyeuse existence des convives qui s'y trouvaient réunis, et justifiaient parfaitement les éclats de gaieté qu'on y entendait et qui débordaient en flots sonores par les portes et par les fenêtres.

En effet, une trentaine de convives étaient réunis là ; chacun y buvait à discrétion, et, lorsque la fatigue et l'ivresse forçaient enfin l'un d'entre eux à prendre quelques instants de repos, il s'endormait où il se trouvait, soit sur le parquet, soit sur quelque riche canapé, au milieu des corps gisants, des jambes étendues, des mains cramponnées aux goulots des bouteilles ; les résidentes, en costume mythologique, chantaient des chansons obscènes et dansaient des danses lascives.

Le prince, ni peigné, ni rasé, ni poudré depuis plusieurs jours, sans habit, n'ayant sur lui que sa culotte et sa veste, est assis dans un grand fauteuil d'où il semble présider l'orgie.

– Allons, vous autres, diables et diablesses ! dit-il, tâchons, s'il vous plaît, d'être un peu plus gais ; car, sur ma parole, vous m'ennuyez à mourir.

Je ne puis vous dire, Ivan-Andréovitch, tout l'argent que le prince a dépensé à cette époque ; il distribuait aux résidentes des poignées de perles et de pierres précieuses, sans compter les boucles d'oreilles, les épingles, les broches, les bagues, les fermoirs, les bijoux d'or enfin ornés de diamants ; sans compter non plus les tissus précieux de satin, de soie et de velours. Ce fut un véritable âge d'or pour tous ceux qui l'entouraient, et il y a plus d'un moujik qui a coupé sa barbe et qui porte maintenant sa chemise dans son pantalon, dont la richesse date de cette époque.

Je crois d'ailleurs qu'alors le prince n'avait pas la tête bien saine.

Un matin, on lui annonça que les magistrats étaient arrivés et qu'il ne s'agissait pas moins que de faire une perquisition dans le château de Groubenski.

À cette nouvelle, tout le monde laissa tomber ses bras ; l'orgie se tut comme si elle eût été interrompue par un coup de foudre ; le prince seul éclata de rire.

– Que chacun se rende tout de suite à son poste, cria-t-il, et que les knouts soient prêts ! Je vais leur faire voir une drôle d'enquête, à MM. les magistrats.

Tout le monde se dispersa à l'instant même, et l'on mit en hâte chaque chose à sa place dans toute la maison.

Un quart d'heure après, arriva en effet au château un major de dragons accompagné de deux magistrats chargés d'y faire une perquisition et une enquête.

Le prince Alexis, dans sa grande tenue de gala et les cheveux poudrés, se tenait dans le salon d'honneur.

Lorsque les magistrats et le major y pénétrèrent, le prince Alexis se leva à peine de son fauteuil, et, sans leur offrir de sièges, il demanda, d'un ton bref et froid, ce qu'il y avait pour leur service.

– Nous avons reçu l'ordre, mon prince, répondit un des magistrats, de procéder à la plus rigoureuse information sur des faits criminels qui vous sont imputés et dont, selon toute apparence, vous vous êtes rendu coupable envers la personne de feue princesse Varvara.

– Ah ! ah ! ah ! tu as reçu cet ordre-là, s'écria le prince, et tu viens ici pour l'exécuter ? Tu oses montrer, au château de Groubenski, ton nez de moujik ? Sais-tu qui je suis ?... Qui t'a envoyé ici ? Est-ce cette canaille de voïvode ou ce gredin de gouverneur ? Qu'ils prennent garde à eux, si vous venez de leur part, car je les arrangerai à ma manière ; ils pourront bien aussi faire une visite à mes écuries ; et, quant à toi, je te...

– Modérez-vous, mon prince, interrompit la major ; j'ai avec moi cinquante dragons, et je suis envoyé chez vous ni par le voïvode ni par le gouverneur.

– Par qui donc es-tu envoyé, alors ?

– Par notre père et czar l'empereur Nicolas, qui vient de monter glorieusement sur le trône.

Aussitôt que le prince Alexis eut entendu ces dernières paroles, il frissonna de tout son corps, et, prenant sa tête entre ses deux mains, il murmura d'une voix sombre :

– Je suis perdu ! je suis perdu !

C'est qu'il ne s'attendait en aucune manière à ce que cette affaire allât jamais jusqu'au czar.

Il s'approcha alors du major avec un air calme et humble, et lui jura par tous les saints qu'il ignorait absolument de quel crime il pouvait être accusé, et que, si la princesse Varvara était encore de ce monde, elle serait la première à protester de son innocence.

– C'est la princesse Varvara elle-même qui vous accuse, dit le major, et voici sa plainte.

Le prince recula d'épouvante. Chatoune l'avait-il trahi ? La princesse avait-elle été mal murée dans son sépulcre ?

Il prit la plainte d'une main tremblante et y jeta les yeux : elle portait le millésime 1807, et avait dix-neuf ans de date ; mais l'empereur Nicolas, en montant sur le trône, avait dit qu'il voulait que toutes les plaintes portées contre les grands seigneurs de son royaume depuis vingt ans lui fussent envoyées afin qu'il y statuât.

Le prince, en voyant que la plainte était de l'écriture de sa belle-fille, laissa retomber ses bras de l'air du plus profond découragement.

Alors, le major et les deux juges prirent place autour d'une table sur laquelle ils disposèrent leurs papiers.

Le prince Alexis vit tout cela, mais d'un air si abattu, qu'il semblait ne rien voir ; il resta debout, jetant des regards épars autour de lui, et répétant par moments :

– Je suis perdu ! je suis perdu !

Le major qui présidait à l'information adressa alors la parole au prince.

– Prince Alexis, en exécution d'un ordre formel de Sa Majesté impériale, rendu en sa chambre des affaires secrètes, il te plaira de répondre avec la plus scrupuleuse vérité à toutes les questions qui te seront posées relativement à l'abominable crime que tu...

– Oh ! ayez pitié de moi et ne me perdez pas ! interrompit le prince ; soyez mon père et mon bienfaiteur ! Il se peut que j'aie commis des crimes dans ma jeunesse, et même dans mon âge mûr ; mais aujourd'hui, voyez, je suis un pauvre vieillard à cheveux gris ; j'ai plus de soixante et dix ans...

Et le prince Alexis se jeta aux pieds du major.

Voyez un peu, mon cher Ivan-Andréovitch, ce que c'est que la crainte du czar ! Le prince Alexis était un grand seigneur, si grand seigneur, qu'il n'eût pas hésité à frapper de son fouet un gouverneur de ville ou même un ministre, si l'un ou l'autre eût encouru sa colère ; mais, se trouvant en face de la majestueuse et terrible colère du czar, il se reconnut si humble et si petit, qu'il tomba aux pieds d'un major.

– Ne perdez pas un pauvre vieillard ! continuait-il d'une voix éplorée ; je n'ai plus longtemps à vivre bien certainement, puisque ceux qui m'ont précédé dans l'autre monde m'ont averti que j'y étais attendu... Ne me perdez pas, et je m'enfermerai dans un couvent, et j'y prendrai l'habit de moine ; soyez miséricordieux pour moi, et je vous couvrirai d'or ; tout ce qui est ici vous appartient ; ne me perdez pas !

– C'est assez, dit le major. Allons, lève-toi ! Comment n'es-tu pas honteux de te traîner ainsi à mes pieds ? Tu es cependant noble, tu es cependant prince ! Lève-toi donc et réponds aux questions que je vais t'adresser en vertu de l'ordre de Sa Majesté.

Le prince se releva, et, essayant de prendre un air assuré :

– Puisque vous voulez que je vous réponde, dit-il, je vous réponds : Je ne sais pas ce que vous voulez dire.

– Fais attention à tes paroles, prince, et prends garde que cette salle ne devienne pour toi une chambre de question ! Si tu ne veux pas dire la vérité de ton bon gré, nous avons des moyens efficaces pour te faire parler de force.

Le prince Alexis, à cette menace, se laissa tomber dans un fauteuil et pâlit jusqu'à la lividité ; ses yeux devinrent hagards et il commença de respirer péniblement.

– Je suis perdu sans rémission ! murmura le malheureux. Je suis trop faible maintenant pour soutenir la torture ; je deviendrai fou, si je ne le suis déjà.

Le major le regarda et vit qu'en effet il n'avait pas toute sa raison. Il renvoya donc au lendemain la suite de l'enquête, après avoir pris des mesures pour que personne n'eût aucune communication avec le prince.

En proie au plus profond désespoir, celui-ci se promène comme une âme en perdition dans les vastes et nombreux appartements de son château, devenus tout à coup solitaires ; il se promène en arrachant ses cheveux blancs et en poussant des gémissements lugubres.

Et, en marchant ainsi au hasard, il entre dans la galerie des portraits, et, malgré lui, il jette un regard sur le portrait de la princesse Varvara.

Tout à coup, il s'arrête, immobile, ses cheveux se dressent sur sa tête, son œil devient fixe.

Il lui semble que le visage de la princesse s'anime sur la toile, que cette tête tout à l'heure immobile lui fait des signes en s'agitant légèrement de haut en bas ; puis il croit entendre la douce et angélique voix de la princesse murmurer par trois fois :

– Assassin ! assassin ! assassin !

Le prince Alexis tomba sur le plancher comme une masse inerte ; sa langue paralysée ne pouvait plus articuler aucune parole ; ses membres rebelles ne pouvaient plus faire aucun mouvement.

On le trouva à terre, on l'emporta, on le coucha dans son lit. Alors il fut pris d'un effroyable délire pendant lequel il prononçait des paroles sans suite et que personne ne pouvait comprendre ; ses yeux brillaient d'un éclat effrayant.

Le major eut pitié de lui et envoya chercher un médecin ; il permit en outre que le prince fût soigné par ses gens.

Le médecin saigna le malade, et, à la suite de cette saignée, un grand soulagement se manifesta. De ce moment, le prince commença de parler, quoique sa langue ne lui obéît que bien difficilement.

Alors, il appela son intendant, lui faisant signe de s'approcher tout près de lui.

– Tu feras, lui dit-il tout bas, étendre une couche de couleur noire sur la figure du portrait de la princesse Varvara.

L'intendant fit exécuter cet ordre et vint lui annoncer qu'il était obéi.

– C'est bien, dit-il ; elle ne pourra pas parler au major comme elle m'a parlé.

On crut qu'il retombait dans son délire.

On se trompait : il était mort.

Le prince mort, toute information devenait inutile ; l'enquête n'eut donc pas lieu.

C'est ce qui fut cause qu'au lieu d'être découverts par le major et les deux juges, les restes de la princesse Varvara – sur la confidence que je lui en fis – furent découverts par le prince Danilo.

Milton Keynes UK
Ingram Content Group UK Ltd.
UKHW032014240823
427419UK00011B/361